THE MACMILLAN COMPANY
NEW YORK · BOSTON · CHICAGO · DALLAS
ATLANTA · SAN FRANCISCO

MACMILLAN & CO., Limited
LONDON · BOMBAY · CALCUTTA
MELBOURNE

THE MACMILLAN CO. OF CANADA, Ltd.
TORONTO

Julia

A Latin Reading Book

Written by

Maud Reed

Classical Mistress at Lincoln High School

With an Introduction by

Mabel C. Hawes

Head of the Department of Classical Languages,
High Schools, Washington, D. C.

New York

THE MACMILLAN COMPANY

1925

PRINTED IN THE UNITED STATES OF AMERICA

Reprinted June, 1924
Reprinted August, 1924
Reprinted January, 1925

INTRODUCTION

AMERICAN boys and girls could find no more delightful companion with whom to spend pleasant hours than the little English *Julia.* With her they may wander on the seashore, be carried off by pirates, and be rescued; with her, too, they may listen to the kindly schoolmaster as he tells the deathless tales of Greece and Rome. Here they may meet, as they should, Romulus and Remus, Horatius and Regulus; here they may learn, also, of the translation of Romulus to the skies, of Bacchus and the pirates, of the sacrifice of Iphigeneia, and of the love of Hector and Andromache. The selections are well made, and while the stories are told with the greatest simplicity, they yet achieve a life and literary quality that is as far as possible removed from the woodenness of the ordinary simplified renderings Conspicuous among the excellent, for sympathy and charm, is the version of the lovely tale of Ceres and Proserpina.

Since the little book accomplishes so well its avowed purpose, "to please," Latin teachers will welcome it as a valuable ally in the effort to interest our children in the treasures of Greece and Rome. Professor Dewey has shown us that true interest is not a weak surrender to the pleasure of the moment but is essential to all serious work; and the fact that Latin teachers have accepted this principle is evidenced by the multiplication of Latin plays, Latin games, and stories, Roman motion pictures, and various teaching devices that relate Latin to childhood. Among the best of such material is *Julia*, a veritable Mercury—or shall we say Iris?—with a message for Latin beginners when used as a class text, for more advanced classes when used as supplementary reading, for Latin clubs, and for the elect as private reading.

MABEL C. HAWES.

WASHINGTON, D. C.
January, 1924.

PREFACE

IT is sometimes said that in the early stages Latin
is not an interesting subject, that the pupil's
interest should lie rather in his own progress
than in the subject itself. Now in the first place
it is hard to believe that no matter what the
study, one's interest should be directed mainly
toward oneself. Moreover with all that Rome
means to us in history, with all that Italy, both
past and present, means to the ordinary edu-
cated English-speaking person, it seems to me
that if we cannot make Latin interesting for
itself and from the very first, it is our own fault.
It is the gateway into a magic country and can
be made extremely interesting to the youthful
student of Latin.

This little book is intended to be before every-
thing else, a story book, and its first object is to
please. The constructions have been made as easy
as possible, in order to give the child confidence
from the beginning. Nowadays classes are often

very large, and if translation is done in class, it is difficult to keep up the interest while a complicated construction is being puzzled out. If on the other hand, the translation is done at home, the confidence, and with it the interest, of the child may be marred from the first by difficulties that are beyond him.

Rather a large number of words has been used, but the looking up of words does not delay a child much, and moreover, at that age memory work is easy. Also children brought up on a small vocabulary are sometimes dismayed when faced with a Latin author for the first time.

Explanations of rules and idioms have not been given, because this is so much more easily done by the teacher, and it is far better that they should form part of the child's memory than that he should rely on the written word. The accidence has been introduced as gradually as possible—the personal pronouns about a third of the way through the book, the demonstratives towards the end. Words like " alius " have been used at an early stage, but only in their regular forms.

A few passages from Latin poets have been introduced, but they can be taken or omitted at the teacher's discretion. If the teacher will read and translate them, the class will catch the metre and have an idea of what is to come. It is as though when out for a walk with children one should draw attention to some place, visible but for the moment inaccessible. Its very distance will give it an added interest, and when later it can be attempted, it will be greeted as a friend.

I should like to express my gratitude to Mr. W. E. P. Pantin, M.A., of St. Paul's School, for kindly helping me with hints and suggestions at various stages of the book.

M. R.

CONTENTS

xi

PERSIAN ARCHERS.

Persian men wore elaborate dresses and a great deal of jewellery.
Notice their earrings and bracelets.

IŪLIA

I

IŪLIA puella parva est. Prope ōram maritimam habitat. Britannia est Iūliae patria. Puellae Britannicae ōram maritimam amant. Nautās quoque amant puellae Britannicae. Iūlia est fīlia agricolae et casam parvam habitat. Sed Iūlia ōram maritimam et nautās amat. Nautae quoque Iūliam amant. Saepe prope ōram maritimam Iūlia ambulat. Nautārum fīliae cum Iūliā ambulant, et prope ōram maritimam saltant. Multae rosae sunt prope Iūliae casam. Rosīs aquam dat Iūlia. Saepe Iūlia rosās nautīs dat. Agricola Iūliam nōn culpat sed laudat, quod rosās pulchrās nautīs dat. Rubrae et albae sunt rosae. Saepe Iūlia ad nautārum casās rosās pulchrās portat. Nautae puellam parvam laudant.

II

Ad Iūliae casam pīrāta vĕnit. Rubra est pīrātae
tunica, splendidae sunt galea et hasta. Iūlia
prope casae portam stat et pīrātam spectat;
pīrātae hastam et galeam et tunicam rubram amat
et laudat. Pīrāta quoque Iūliam et casam et
rosās laudat. "O Iūlia," inquit, "pulchra es
puella et pulchrae sunt rosae tuae. Nāvicula mea
pulchra est. Alta est prōra nāviculae meae. In
extrēmā nāviculā sto et nāviculam guberno.
Alba est nāvicula mea; nunc prope ōram maritimam stat." Tum Iūlia cum pīrātā ad ōram
maritimam ambulat et nāviculam albam spectat.
Iūlia et pīrāta prōram nāviculae multīs rosīs ornant.
Subito pīrāta puellam in nāviculam iactat. Multae
sunt lacrimae puellae, sed frustrā—pīrāta in extrēmā nāviculā stat et nāviculam gubernat.

III

Agricola ad casam vĕnit. Fīlia parva nōn
est in casā. Tum agricola, "Iūlia," exclāmat,
"fīlia mea, ubi es?" Iterum Iūliam vocat, sed
frustrā—nulla est puella. Cēna nōn est in
mēnsā parāta, nec rosae in mēnsā sunt. Tum ad
ōram maritimam properat et procul nāviculam

albam spectat. Ad nautārum casās properat. Nautārum fīliae perterritae, " Cum pīrātīs," inquiunt, " est Iūlia tua." Magna est īra agricolae. Galeam et hastam raptat. Nautae nāviculam suam agricolae dant. Nautae quoque galeās et hastās raptant, et cum agricolā ad pīrātārum nāviculam properant. Tum agricola pīrātās vocat ; " Ubi," inquit, " est fīlia mea ? " Pīrātae, " Fīlia tua," inquiunt, " in nāviculā nostrā est." Tum agricola pecūniam multam pīrātīs dat. Pīrātae Iūliam ad agricolae nāviculam portant.

IV

Laeta est Iūlia quod iterum casam parvam cum agricolā habitat. Sed Iūlia puella duodecim annōrum iam est. Itaque agricola fīliae suae tabulās dat. Pecūniam quoque lūdī magistrō dat. Cotīdiē puella ad lūdum per agrōs ambulat. Multī iuvencī in agrīs sunt, sed impavida est puella. Tabulās ad lūdum Iūlia portat. In tabulīs litterae multae sunt. Lūdī magister Iūliam laudat quod litterās bene cotīdiē recitat. In lūdō multī puerī, multae puellae cum Iūliā sunt. Magister lūdum bene gubernat. Industriīs puerīs magister librōs pulchrōs dat ; pigrōs malōsque puerōs nōn laudat sed culpat. Magna est īra magistrī

...bant. Nunc
...agnae et lātae
...rum rosae sunt ;
...ntīs viās ornant.
...a multa et splendida
...ī in Forō ambulābant.
...m, sed rubrae et caeruleae
... fēminārum. Ārae quoque
...arīs Rōmānī victimās multās
...ctābant. Nōn iam templa sunt
...hō. Nōn iam mactant Rōmānī
...īs. Sed etiam nunc pulchrum est
...ānum. Multae sunt ruīnae ; rosae
...ter ruīnās sunt. Inter ruīnās et rosās
...parvae properant. Pulchrae et iūcundae
...acertae. Cicādae quoque undique cantant.
...ertīs et cicādīs grātum est caelum caeruleum.

quod puerī pigrī litterās nōn bene recitant.
puerī pigrī in angulīs stant. Multae sunt
puerōrum malōrum. Itaque puerī indus
et litterās bene recitant. Iūlia pran
lūdum cotīdiē portat, quod longa es
agrīs prandium est Iūliae grātum.

Multās fābulās puerīs et puellīs magis
in lūdō narrat ; nunc dē Britann
longinquīs terrīs fābulās narrat.
et puellīs sunt fābulae. Nunc igitu
sōlum Iūliae sed multīs etiam p
fābulās narro.

RŌMA

VI

ŌLIM Rōmānī oppidum parvum habit
magna et splendida est Rōma ;
sunt oppidī viae. In angulīs vi
Rōmānī templīs et monum
Ōlim in Forō Rōmānō temp
erant. Cotīdiē virī Rōmā
Albae erant togae virōru
et croceae erant palla
in Forō erant. In
Deīs Rōmānīs ma
in Forō Rōmānīs
victimās in ā
Forum Rō
multae i
lacertac
sunt
Lac

CERĒS ET PERSEPHONĒ

That fair field
Of Enna, where Proserpin gathering flowers,
Herself a fairer flower, by gloomy Dis
Was gathered—which cost Ceres all that pain
To seek her through the world.

MILTON.

VII

Nunc ūnum Deum adōrant et Ītalī et Britanni.
Sed ōlim Rōmānī multōs deōs, multās deās, adōrābant. Dē deīs Rōmānīs fābulās narrābo. Cerēs
erat dea frūmentī ; in agrīs frūmentum, in prātīs
herbam cūrābat. Flāvum est frūmentum ; flāvī
erant Deae capillī. Caerulea erat Deae palla.
Persephonē erat fīlia Deae. Cerēs fīliam cāram
vehementer amābat. In insulā Siciliā Cerēs cum
fīliā habitābat. Ōlim Persephonē in prātīs errābat.
Cum puellā aliae puellae errābant, nam locus
herbōsus fuit grātus puellīs laetīs. In prātō
herbōsō puellae saltābant et cantābant. Multae
rosae, multa līlia, in prātīs erant. Līlia alba

7

puellās dēlectābant. Sed Plūto, patruus puellae,
Deae fīliam procul spectāvit et statim puellam
vehementer amāvit. Subitō equōs caeruleōs incitāvit et per prāta properāvit, et puellam per-
territam raptāvit. Tum Persephonē, " O Cerēs,"
exclāmat, " ubi es ? Patruus meus fīliam tuam ad
Inferōs portat."

VIII

Cerēs nōn in Siciliā erat, sed iam ad insulam
properāvit. Nusquam erat Persephonē. Tum
Dea, īrāta et perterrita, passīs capillīs per terrās
errābat. Per clīvōs altōs, per campōs lātōs, per
silvās et agrōs, per terrās et caelum fīliam vocābat.
Frustrā agricolās, frustrā lūnam et stellās rogābat :
" Ubi est fīlia mea ? " Sed neque agricolae neque
lūna neque stellae puellam Deae monstrāvērunt.
Nōn iam Deae miserae grātum erat frūmentum ;
nōn iam herba erat in prātīs, neque ūvae purpureae
in vīneīs, neque pōma in agrīs, quod Dea īrāta
neque herbam neque vīneās neque pōma cūrābat.
Frustrā iuvencī albī agrōs arābant. Nōn iam
cibum in plaustrīs magnīs ad oppida portābant.

IX

Tandem Cerēs prope parvam agricolae casam in
saxō gelidō sedēbat. Dea maesta diū lacrimābat.

Tum ē casā puella parva ad Deam vēnit. Puellae
oculī plēnī erant lacrimārum. " Puerum parvum,"
inquit, " habēmus. In cūnīs aeger iacet. Lacri-
māmus, quod aeger est puer." Tum Cerēs lacrimās
suās tenuit, et cum puellā ad casam properāvit.
Ibi Metanīra fīlium aegrum in gremiō tenēbat.
Fīlius Metanīrae Triptolemus erat. Lacrimābant
et agricola et Metanīra et puella parva, quod nōn
valēbat puer. Tum Cerēs puerō osculum dedit,
et ecce ! statim valuit puer. Mīrum et dīvīnum
est osculum Deae. Laetī erant et agricola et
Metanīra et puella. Iam laetus et validus puer
in cūnīs dormītābat. Tum Cerēs Triptolemum in
gremiō suō tenuit. Dea cum tōtā familiā cēnam
habuit ; in mensā erant ūvae purpureae et pōma
iūcunda. Adhūc ignōta erant Ītalīs Graecīsque
et vīnum et frūmentum. Deae tamen flāvae grāta
erat rustica cēna. Post cēnam in agricolae casā
Dea manēbat et cotīdiē Triptolemum cūrābat.

X

Iam lūna et stellae in caelō fulgēbant. Umbrae
terrās et pontum profundum cēlābant. Per
terrās virī et fēminae animōs somnō laxābant.
Sed somnus Metanīram non tenēbat ; furtim Deam
cum puerō spectābat. Cerēs prope puerī cūnās

stābat. Verba mīra et dīvīna cantābat. Tum
puerum in gremiō tenuit, et ad focum ambulāvit.
Ecce ! Triptolemus in focō inter flammās iacēbat ;
sed laetus erat puer ; neque focum neque flammās
timuit. Sed Metanīra perterrita, " O fīlī mī,"
exclāmāvit, et ad focum properāvit. Tum Dea
īrāta puerum ē flammīs raptāvit et humī iac-
tāvit, et Metanīrae, " O fēmina," inquit, " stulta et
scelerāta fuistī. Nōn deus erit Triptolemus, quod
stultae fēminae est fīlius. Sed in deae gremiō
iacuit ; itaque vir magnus erit. Et ego et Persephonē, fīlia mea, Triptolemum docēbimus et
cūrābimus. Agricolārum magister erit, nam frūmentum et vīnum agricolīs monstrābit."

XI

Tum Cerēs ex agricolae casā ambulāvit. Sed
flēvērunt familia et flēvit Triptolemus, quod nōn
iam in Deae gremiō dormītābat. Māne agricola
virōs et fēminās locī convocāvit, et Deae dicta et
facta narrāvit. Deinde virī et fēminae saxa multa
apportāvērunt et templum magnum aedificāvērunt.
In templī ārīs victimās mactāvērunt, et Deam
adōrāvērunt. Grāta erant Deae dōna populī, et
Cerēs templum diū habitābat. Intereā in ārīs
aliōrum deōrum neque pōma neque ūvae neque

rosae iacēbant. Nōn iam herba in prātīs, nōn iam
pōma in agrīs flōrēbant, quod adhūc Cerēs propter
fīliam flēbat. Itaque Iuppiter Deae, "Plūto,"
inquit, "fīliam tuam habet. Persephonē rēgīna
Inferōrum est. Sed Mecurius ad regnum Inferōrum

THE DEPARTURE OF TRIPTOLEMUS.

When Triptolemus grew up, Ceres and Persephone sent him
through the world in a magic car to teach the arts of agriculture. He holds ears of corn and a cup for wine. It is like
the cup held by Croesus. The goddesses hold torches; these
were used in their worship.

properābit, et puellam ad templum tuum celeriter
apportābit." Deinde Mercurius ad Inferōs properāvit. Persephonē cum virō suō in lectō sedēbat.
Misera erat puella, quod adhūc Deam cāram
dēsīderābat. Sed Mercurium vidēbat et laeta fuit.
"Iterum," inquit, "Deam cāram vidēbo, iterum
Cerēs fīliam suam habēbit." Tum Plūto verbīs

benignīs puellam ōrāvit : " O Persephonē, memoriae
tuae grātus semper erit Plūto ; iterum rēgīna
Inferōrum eris. Nunc caeruleum est caelum,
iūcunda sunt prāta, sed mox gelidum erit caelum,
gelidī erunt et ventī et agrī. Tum iterum virum
tuum et regnum Inferōrum dēsīderābis. Valē,
Ō cāra rēgīna."

XII

Tum Persephonē cum Mercuriō ē regnō Inferōrum
properāvit. Mercurius equōs validōs incitāvit,
et equī per clīvōs altōs, per campōs lātōs libenter
properāvērunt. Tandem Persephonē templum
Deae flāvae vidēbat. Puella laeta verbīs laetīs
Deam vocāvit. Cerēs magnō gaudiō ē templō
ēvolāvit, et fīliae cārae oscula multa dăbat.
Subitō per terrās herba in prātīs, ūvae in vīneīs
undique flōrēbant, quod nōn iam flēbant Cerēs et
Persephonē. Cēterī quoque deī laetī erant, quod
agricolae ad templa dōna multa apportābant et
in ārīs victimās mactābant.

RŌMULUS ET SABĪNAE

XIII

RŌMULUS erat Martis fīlius. Mars erat deus belli et armōrum. Mīlitēs Rōmānī Martem adōrābant et in Martis ārīs victimās mactābant. Rōmulus igitur mīlitēs et arma vehementer amābat. Urbis Rōmae prīmus rex erat. Sed virī sōlum urbem habitābant ; neque uxōrēs neque sorōrēs habēbant. Itaque Rōmulus tōtum populum convocāvit, et "O cīvēs," inquit, "nullās fēminās habēmus, sed Sabīnī cīvitātem fīnitimam habitant. Sabīnī fēminās multās et formōsās habent. Sabīnōs igitur cum fēminīs ad lūdōs invītābimus, et virginēs raptābimus." Rōmānī igitur Sabīnōs ad lūdōs magnōs invītāvērunt. Pax erat inter Rōmānōs et Sabīnōs. Itaque Sabīnī ad lūdōs Rōmānōrum libenter properāvērunt. Nec scūta nec gladiōs nec hastās apportāvērunt. Cum Sabīnīs virginēs multae et formōsae properāvērunt. Sabīni lūdōs Rōmānōrum spectāvērunt. In mediīs lūdīs Rōmānī magnā vōce subitō clāmāvērunt, et ecce !

virginēs Sabīnās raptāvērunt et ad casās portāvērunt. Frustrā mātrēs lacrimāvērunt, frustrā
virōs in arma incitāvērunt. Rōmānī scūta et
gladiōs et hastās habēbant ; Sabīnīs nec scūta nec
gladiī nec hastae fuērunt.

XIV

Maestī igitur et īrātī Sabīnī ad terram Sabīnam
properāvērunt. Per tōtam hiemem ibi manēbant
et arma dīligenter parābant. Via est longa inter
Rōmam et terram Sabīnam. Sed tandem Sabīnī,
iam armātī, ante portās urbis Rōmae stābant.
" O Rōmānī," inquiunt, " prō fīliābus nostrīs, prō
sorōribus nostrīs fortiter pugnābimus." Deinde
Sabīnae ē casīs Rōmānōrum passīs capillīs ēvolāv-
ērunt ; parvulōs portāvērunt et patribus frātri-
busque monstrāvērunt. Patrēs frātrēsque suōs
multīs lacrimīs ōrāvērunt. " Nunc," inquiunt,
" in casīs Rōmānīs laetae et placidae habitāmus ;
līberōs cārōs habēmus et vehementer amāmus ;
et Sabīnōs et Rōmānōs amāmus. Sī Rōmānī cum
Sabīnīs pugnābunt, Rōmānī Sabīnōs, Sabīnī
Rōmānōs necābunt. Tum Sabīnae nec virōs nec
patrēs nec frātrēs habēbunt. O patrēs, valēte !
nōn iam Sabīnae sed Rōmānae semper erimus
fīliae vestrae."

MARS RŌMULUM IN CAELUM VOCAT

XV

In angulō Tiberis Campus Martius iacēbat. In Campō Martiō iuvenēs Rōmānī corpora dīligenter exercēbant. Ita firma et valida habēbant corpora. Post lūdōs in flāvīs Tiberis undīs natābant. Ita Tiberis corpora fessa recreābat.

Hīc forte Rōmulus cīvibus suīs iūra dăbat; bonōs cīvēs laudābat; malōs cīvēs culpābat. Subito fulminis fragor populum perterruit; magnī dē caelō imbrēs virōs fēmināsque fugāvērunt. Rōmulus sōlum serēnus impavidusque manēbat; Martem patrem in caelō vidēbat. Tum Mars fīlium verbīs benignīs vocāvit: " Satis," inquit, " in terrīs regnāvisti; nunc in caelō et in stellīs cum patre tuō cēterīsque dīs regnābis. Fīlium meum ad caelum portābo." Tum equōs mīrōs incitāvit. Rōmulus cum patre ad stellās properāvit.

XVI

Caelum iterum serēnum erat. Iam Rōmānī in Campō Martiō iterum ambulābant, sed rēgem nusquam vidēbant. Mox autem Iūlius, iuvenis Rōmānus, per viam Rōmānam iter ad urbem tenēbat. Subitō ā sinistrā, magnum et serēnum, Rōmulum prope viam vidēbat. Vehementer timuit—capillī in capite horruērunt. Sed Rōmulus verbīs benignīs, " O Iūlī," inquit, " nulla est causa timōris. Nunc Quirītēs nūmen meum adōrābunt et Rōmulum Quirīnum vocābunt. Templa et ārās aedificābunt, et ad ārās dōna apportābunt. Semper artem bellī et arma cūrābunt, et corpora in armīs dīligenter exercēbunt. Ita Quirīnus Populum Rōmānum servābit." Itaque Iūlius Rōmulī dicta populō narrāvit, et Quirītēs templum rotundum aedificāvērunt. In templō rotundō Quirīnī nūmen adōrābant.

HORĀTIUS PUER

carmina nōn prius
audīta Mūsārum sacerdōs
*virginibus puerisque canto.**

HORACE.

XVII

FĀBULAM dē Horātiō, poētā praeclārō, nunc vōbis narrābo. Apūlia regiō est Ītaliae. Multās silvās, multōs et amoenōs campōs habet. In prātīs herbōsīs multī gregēs, multa equōrum boumque armenta errant. Hīc ōlim Horātius habitābat, parvulus adhūc et mātrī patrīque cārus. Forte servōs, forte patrem mātremque fefellit, et sōlus per prāta amoena errābat. Grātī puerō erant flōrēs et herba et rūra dīvīna. Mox autem puer, lūdō et errōribus fessus, in valle herbōsā iacuit et animum somnō profundō laxāvit. Intereā parentēs sollicitī puerum dīligenter quaerēbant. Et parentēs et servī vehementer timēbant. "Lupī

---

* This is real Latin poetry. It is not necessary to the story. Ask your teacher to read it to you.

saevī," inquiunt, " et ursī silvās incolunt. Lupus
fortasse puerum etiam nunc crūdēliter necat."
Itaque diū et dīligenter puerum quaerēbant.

XVIII

Tandem in caelō columbās albās vidēbant.
Columbae per caelum undique volābant et folia ad
locum herbōsum portābant. Parentēs ad locum
contendērunt et ecce ! Infans in herbā placidus
impavidusque dormītābat ; columbae in terrā, in
arboribus passim sedēbant ; columbae per caelum
volābant, et parvulī corpus foliīs tegēbant. Nec
lupī nec ursī infantem necāverant, quia Mūsae
poētam etiam infantem semper conservant.

Post multōs annōs Horātius, iam adolescens,
Rōmam, magnam urbem, incolēbat. Sed dīvīna
rūra et vītam rusticam semper laudābat. Mūsae
per multa perīcula poētam conservāvērunt.
Horātiī carmina per tōtum orbem terrārum etiam
nunc nōta et praeclāra sunt. Vōs quoque Horātiī
carmina mox legētis et in memoriae tabulīs scrī-
bētis.

BACCHUS ET PĪRĀTAE

'Twas Bacchus and his kin !
Like to a moving vintage down they came,
Crown'd with green leaves, and faces all on flame ;
All madly dancing through the pleasant valley,
To scare thee, Melancholy !

KEATS.

XIX

INTER deōs Rōmānōs agricolae nōn sōlum Cererem
sed Bacchum quoque adōrābant et in summō honōre
habēbant. Bacchus enim vīnum hominibus dedit
et multās artēs docuit. Ad Bacchī ārās agricolae
dōna multa, et in prīmīs ūvās vīnumque iūcundum,
ferēbant, et ārās flōribus laetīs pampinīsque
ornābant. Deus igitur vītēs Ītalicās cūrābat, et ā
perīculō dēfendēbat. Formōsus erat Deus, et,
quod vītēs amābat, capillōs suōs pampinīs saepe
ornābat. Nec Ītalōs Graecōsque sōlum docēbat,
sed ad longinquās terrās nāvigābat, aliīsque gentibus
vīnum dăbat, artēsque rusticās docēbat.

19

XX

Deus, ubi trans mare Aegaeum quondam
nāvigābat, ad insulam parvam nāvem gubernāvit,
et errōribus longīs fessus, sē in ōrā maritimā
prostrāvit et somnō placidō corpus animumque
recreābat. Mox autem pīrātae quoque, malī
hominēs, nāvem ad insulam impulērunt. Ubi
iuvenem formōsum in ōrā vīdērunt, tum vērō
magnō gaudiō, " Ecce ! " inquiunt, " nōn sine
praedā ad patriam nostram nāvigābimus. Homi-
nem rāptābimus et in nāvem furtim impōnēmus, tum cito cum captīvō ad Āfricam nāvem
impellēmus. Āfricae incolae servōs dēsīderant,
et pecūniam multam nōbīs dăbunt, si nōs iuvenem
tam pulchrum trādiderimus." Tum pīrātae, malī
ignāvīque hominēs, deum raptāvērunt et in nāvem
imposuērunt ; nec tamen iuvenem fessum ē
somnō excitāvērunt.

XXI

Ubi autem Bacchus ē somnō sē excitāvit, et undās
caeruleās undique vīdit, tum nec īrātus nec
perterritus, " Nōn ego," inquit, " stultōs ignā-
vōsque timeo ; mox tamen pīrātae nūmen meum
vidēbunt et vehementer timēbunt." Tum ē mediā
nāve vītis flōrēbat et in altum ascendēbat. Ē

vīte rāmī, ē rāmīs pampinī flōrēbant, et dē summīs
rāmīs ūvae purpureae pendēbant. Nōn iam candida erant vēla, sed lūce purpureā fulgēbant.

Ubi nautae vītem mīram in mediā nāve vīdērunt, tum magnō timōre Deum spectāvērunt ;
capillī in capitibus horruērunt. Subitō ex undīs
tigrēs leōnēsque saevī in nāvem ascendērunt et in
nautās perterritōs cucurrērunt. Pīrātae, terrōris
plēnī, ē nāve in mare sē prostrāvērunt. Deinde
Iuppiter propter misericordiam hominēs in del-
phīnās convertit. Intereā Neptūnus vēla purpurea
ventīs secundīs implēvit, et sōlus sub vītium
umbrā Bacchus ad terrās longinquās nāvigāvit.

HORĀTIUS COCLES

It stands in the Comitium,
Plain for all folk to see ;
Horatius in his harness,
Halting upon one knee :
And underneath is written,
In letters all of gold,
How valiantly he kept the bridge
In the brave days of old.

MACAULAY.

XXII

RŌMĀNĪ alterum Horātium memoriā tenēbant et
in summō honōre habēbant.

Post Rōmulum sex rēgēs deinceps in urbe
regnābant. Sed Tarquinius, ultimus rēgum, superbus et crūdēlis erat. Nec iūra bona populō dăbat,
nec cīvitātem bene gubernābat. Itaque Rōmānī
Tarquinium et Sextum, Tarquiniī fīlium, crūdēlem
ferōcemque adolescentem, ex urbe expulērunt.
"Nōn iam," inquiunt, "Rōmānīs rēgēs erunt.
Cīvēs Rōmānī, nōn rēgēs, urbem cīvitātemque
regent."

ITALIAN WARRIOR.

Intereā Tarquinius ad Porsennam, omnis
Etrūriae rēgem, contendit, et omnia narrāvit.
Porsenna, " O amīce," inquit, " nōn ferendae sunt
iniūriae tuae, nōn ferendae sunt fīliī tuī iniūriae.
Multī equitēs, multī peditēs mihi sunt. Equitēs
peditēsque meōs omnēs convocābo, et cum multīs
mīlitibus tē tuumque fīlium ad urbem scelerātam
dūcēmus. Iterum in urbe regnābis." Itaque per
tōtam Etrūriam, per clīvōs et agrōs nuntiī contendērunt, et ex omnibus vīcīs Etruscōs ad arma
convocāvērunt. Splendida erant arma Etruscōrum ; cristae rubrae in galeīs horrēbant ; scūta
lūce coruscā fulgēbant. Porsenna cum mīlitibus
Rōmam contendit. Per omnēs vīcōs agricolae
vehementer timēbant. Etruscī frūmentum cas-
āsque incendērunt, arborēs excīdērunt, mulierēs
līberōsque necāvērunt, multam praedam raptāvērunt.

XXIII

Intereā Porsennae facta Rōmānōs nōn fefellērunt.
Virginēs vestālēs prope ignem sacrum deōs ōrābant ;
mātrōnae cum līberīs suīs dōna ad templa ferēbant ;
senēs victimās in ārīs mactābant ; iuvenēs in
Campō Martiō sē ad arma proeliumque parābant,
et moenia multō labōre firmābant ; vigilēs in
moenibus stābant et campōs clīvōsque spectābant.

Subitō vigilēs corusca Etruscōrum arma procul
vīdērunt. Mox inter hostēs Porsennam, et Porsennae ā dextrā Sextum, vīdērunt. Deinde cīvēs
odiī et terrōris plēnī magnā vōce clāmāvērunt et
animōs ad proelium firmāvērunt. Sed consulēs
timēbant, quod paucī erant Rōmānī, multī et
validī hostēs.

XXIV

Hostēs ante urbis mūrōs castra posuērunt.
Castra vallō et fossā firmāvērunt. Tum ē castrīs
excessērunt et moenia Rōmāna oppugnāvērunt.
Fortiter et ferōciter pugnābant Rōmānī, sed
Etruscī validī Rōmānōs paene vīcērunt. Iam ē
parte urbis Rōmānōs fugāverant ; iam omnia
trans flūmen vīcerant. Terrōris plēnī consulēs,
" Ecce ! " inquiunt, " prope pontem sunt ! sī
pontem tenēbunt, tōtam urbem vincent." Tum
Horātius, vir fortis, " O consulēs," inquit, " in
extrēmō ponte angustus est locus ; multī sunt
hostēs, sed paucī sōlum ibi intrābunt. Vōs
pontem cito excīdētis, ego cum duōbus amīcīs
contrā hostēs in angustō locō pugnābo. Ita
omnēs pro ārīs templīsque Rōmānīs, pro uxōribus
līberīsque, pro sacrīs virginibus pugnābimus. Ita
urbem Rōmam conservābimus. Quis mēcum in
extrēmō ponte stābit et contrā Etruscōs pugnābit ? "

Tum Lartius, " Ego," inquit, " ā dextrā stābo, et
pontem tēcum conservābo " ; et magnā vōce
Herminius, " Ego," inquit, " ā sinistrā stābo et
pontem tēcum conservābo."

XXV

Trēs igitur Rōmānī in angustō locō stetērunt.
Nec Etruscī pugnam dētrectāvērunt. Trēs principēs contrā Rōmānōs prōcēdunt. Superbī et
splendidī sunt principēs ; gladiīs coruscīs in
Horātium et comitēs prōcēdunt. Horātius autem
in hostem fulminis modō ruit, et princeps Etruscus magnō fragōre ad terram cecidit. Lartius
quoque et Herminius hostēs validīs hastīs vulner-
āvērunt et humī prostrāvērunt. Iterum Etruscī
mīlitēs fortēs ferōcēsque in Rōmānōs mīsērunt ;
iterum Rōmānī Etruscōs necāvērunt. Diū et
ācriter pugnābant. Iam multa hostium corpora
humī iacēbant. Etruscī timēbant, et Sextum,
Tarquiniī fīlium, incitāvērunt. Sed Sextus quoque
Horātium timēbat et pugnam dētrectāvit, nec in
Rōmānōs, tam dīros hostēs, prōcessit.

XXVI

Cīvēs Rōmānī intereā pontem summīs vīribus
excīdunt. Mox pontem in flūmen prosternent.
Tum Lartius et Herminius hastās in hostem
iaciunt, et summīs vīribus per pontem in tūtum
locum ruunt. Horātius autem adhūc in extrēmō
ponte stat, et sōlus in Etruscōs ferōciter pugnat.
Rōmānī autem, iam terrōris plēnī, " O Horātī,
retrō," exclāmant, " retrō—nunc tūta est via ;
mox nullus pons trans flūmen erit, et hostēs tē
vincent et necābunt." Sed magnō fragōre pons
in flūmen cecidit, et inter undās spūmōsās omnia
ad pontum natābant.

XXVII

Horātius iam in hostibus sōlus manēbat. Sed
adhūc impavidus in flūminis rīpā stābat, et Tiberim
ōrāvit : " O Tiberīne pater, tē omnēs Rōmānī
adōrāmus ; tē patrem vocāmus ; tū hodiē Rōmānī
mīlitis vītam conservābis, et undīs tuīs tūtum
portābis." Dixit, et in spūmōsās Tiberis undās
dēsiluit. Multīs vulneribus et onere armōrum
fessus, vix in undīs spūmōsīs natāvit, sed Tiberīnus
pater tam fortem Rōmānum ad alteram rīpam tulit
et tūtum ad cīvēs sollicitōs portāvit. Magna fuit

īra Etruscōrum, magnum gaudium Rōmānōrum.
Nōmen igitur Horātiī inter Rōmānōs et per tōtum
orbem terrārum semper erat nōtum et praeclārum,
quod pro patriā fortiter pugnāverat. Et omnēs
Rōmānī Tiberim flūmen semper adōrābant, et ad
flūminis rīpās dōna libenter ferēbant, quia omnium
Rōmānōrum est pater, et urbem Rōmam fortemque
Rōmānum ē ferōcibus Etruscīs conservāvit.

Amātisne Graecās Rōmānāsque fābulās ? Sī
fābulae vōs dēlectant, vōs verba mea in tabulīs
scrībite, et magistrō vestrō recitāte. Ita fābulās
praeclārās semper memoriā tenēbitis. Post paucōs
annōs vōs, iam adolescentēs, multās aliās fābulās
legētis.

The Poet praises the country life led by the Romans of
an earlier day :

> *Hanc ōlim veteres vītam coluēre Sabīni,*
> *hanc Remus et frāter, sīc fortis Etrūria crēvit*
> *scīlicet et rērum facta est pulcherrima Rōma,*
> *septemque ūna sibī mūro circumdedit arces.*

> VIRGIL.

ĪPHIGENEIA *

sanguine plācastis ventos et virgine caesā,
cum prīmum Īliacas Danai vēnistis ad ōras :

VIRGIL.

XXVIII

IN Graeciā frātrēs duo, Agamemnōn et Menelāus
nōmine, ōlim habitābant. Graeci frātrēs Atrīdās
vocābant, quod Atrei fīlii erant. Agamemnōn
omnium Argīvōrum rex erat. Menelāus Lacedae-
monios regēbat. Helenē, uxor Menelāi, praeclāra
et formōsa rēgīna, cum viro in rēgiā multos annos
habitābat. Sed tandem Paris, Trōiānōrum princeps, ad hospitium Menelāi vēnit. Perfidus et
ignāvus erat hospes, sed pictis vestīmentis, nitidis
capillis fulgēbat. Diū in rēgiā manēbat, et grātus
rēgīnae animo erat hospes formōsus. Tandem
nocte obscūrā Helenam furtim raptāvit et in

* From this point onwards the marking of long syllables in
the first and second declensions has in the main been discon-
tinued. The long endings in the third declension will be
marked till the end of Chapter XXXV.

nāvem imposuit. Vēla candida ventis secundis
dedit, et trans mare ad urbem Trōiam properāvit.

XXIX

Menelāus, ubi hospitis perfidiam vīdit, ad
frātrem contendit et omnia narrāvit. Agamemnōn
īrā terribilī exclāmāvit, " Perfidus est Paris ;
perfidum est tōtum Trōiānōrum genus, sed perfidiae
stultitiaeque poenas dăbunt. Tōtum exercitum
meum ad ōram maritimam convocābo ; equitēs
peditēsque in nāvēs impōnēmus, et terrā marīque
Trōiam oppugnābimus. Ita urbem scelerātam
excīdēmus et genus perfidum ad Inferos mittēmus.
Praedam quoque multam nōs domum reportābimus.
Tū quoque Helenam tēcum domum ad rēgiam tuam
redūcēs." Agamemnōn igitur tōtum exercitum ad
portum convocāvit. Multi equitēs multi peditēs
aderant ; principēs quoque omnēs ē tōtā Graeciā
eō convēnērunt. Sed venti adversi nāvēs in portū
diū retinēbant. Itaque Agamemnōn nuntium ad
ōrāculum Delphicum mīsit, et ā Deo responsum
petīvit. Triste et terribile responsum dedit
Apollo ; " Propter īram Diāna nāvēs Graecas in
portū retinet, nec ventos secundos dat. Nunquam
Graeci ad Asiam nāvigābunt nisi virginis sanguine
Deae nūmen plācāverint."

XXX

Rex, ubi ōrāculi responsum audīvit, diū sēcum lacrimābat. " Est mihi domi," inquit, " fīlia cāra, Īphigeneia nōmine, sēdecim annōrum puella. Sine dubio Diāna Īphigeneiam victimam petit. Dīra et crūdēlis est Dea ; sed nōn sine dīs immortālibus ad urbem Trōiam nāvigābimus, et Helenam ex urbe perfidā domum reportābimus." Nuntium igitur ad Clytaemnestram, uxōrem suam, mīsit. " Ō Rēgīna," inquit, " fīliam nostram ad nuptias ornā, et cum fīdis custōdibus ad portum mitte. Achillēs, vir fortis et praeclārus, virginem in mātrimōnium dūcet." Clytaemnestra, ubi rēgis dicta audīvit, magno gaudio fīliam ad nuptias parāvit ; gemmis pretiōsis, vestīmentis pictis, puellam ornāvit, et tandem cum fīdis custōdibus ad portum mīsit.

XXXI

Itaque magnā spē Īphigeneia ad castra Grae-cōrum vēnit. Simul āc rēgem vīdit, tum cito ad patrem cucurrit, et collo cāro bracchia candida dedit. Sed ubi maestum rēgis vultum vīdit, " Cūr," inquit, " mī pater, vultū maesto, capite dēmisso fīliam tuam salūtās ? Nōnne libenter fīliam vidēs ? " Tum Agamemnōn tōtam rem fīliae

narrāvit. Ubi autem Īphigeneia dīrum ōrāculi
responsum audīvit, tum vērō gelidus tremor per
omnēs puellae artūs cucurrit. Humī sē prostrāvit,
et patris genua manūsque prehendit. Multis
lacrimis veniam ōrāvit. " Nunquamne," inquit,
" chorus iuvenum domum ad marītum mē dūcent ?
Nunquamne līberos dulcēs vidēbo et parvulos
bracchiis meis tenēbo, sed innupta ad Mānēs descendam ? Sed ubi fātum fixum immōtumque sensit,
tum vērō animum ad mortem firmāvit et fortem
nōbilemque puellam sē praebuit. " Nōn mortem,"
inquit, " sed ignāviam recūso. Libenter ad Mānēs
descendam ; morte meā Graecos mīlitēs et Graeciam
patriam conservābo. Nōn innupta, non sine
līberis dulcibus ad Inferos descendam. Hādēs mē
in mātrimōnium dūcet ; mīlitēs Graeci et Graecia
patria mihi prō līberis erunt. Ita et Inferi et Superi
mē in summo honōre habēbunt, quia libenter prō
patriā ē vītā excessero."

XXXII

Dīxit, et vultū serēno ad āram prōcessit, et vītam
cum sanguine fūdit. Ubi Graeci, misericordiae et
amōris plēni, virginem fortem vīdērunt, ex omnibus
mīlitibus nēmo ferē lacrimas retinuit, sed omnēs
gemitum profundum dedērunt.

Graeci igitur, simul āc Diānae nūmen virginis
sanguine plācāvērunt, vēla candida vento secundo
dedērunt, et ad Asiae ōram nāvigāvērunt. Ibi
multos annos Trōiam vī et armis frustrā oppug-
nābant. Tandem, Deōrum Immortālium auxilio,
urbem incendērunt et praedam ingentem domum
reportāvērunt. Helenam quoque Menelāus Spar-
tam ad rēgiam redūxit.

Nōnne nōbilem praeclāramque virginem Īphigeneiam putātis ? Īphigeneiam memoriā semper
tenēte, nam prō patriā libenter ē vītā excessit.
Nōnne alii multi prō patriā ē vītā excessērunt ?
Multi et Graeci et Rōmāni et Britanni vītam prō
patriā libenter dēdidērunt.

CȲRUS, CROESUS, SOLŌN

XXXIII

ŌLIM in Lȳdiā regnābat rex, Croesus nōmine, inter
omnēs gentēs propter dīvitias nōtus. Lȳdia Asiae
regio erat, Persiae fīnitima. Nec procul, trans
mare Aegaeum, Graeci incolēbant. Deos Graecos
adōrābat Croesus, et saepe ad ōrāculum Delphicum
dōna pretiōsissima mittēbat ; aurum argentumque
aliāsque rēs pretiōsissima mittēbat, nam omnium
rēgum erat dīvitissimus. Itaque Graeci Croesum
amābant, et saepe viātōrēs ad Lȳdiae ōram
nāvigābant. Inter viātōrēs forte Solōn, vir
sapientissimus, ad Croesi hospitium vēnit. Sapi-
entior erat quam omnēs patriae suae cīvēs. Ubi
dīvitias Croesi et omnēs rēs pulcherrimas laudāvit,
tum Croesus, " O hospes," inquit, " nōnne mē
omnium hominum beātissimum vocās ? Nōnne
ego beātior sum quam omnēs patriae tuae cīvēs ? "
Sed Solōn, " O Croese," respondit, " Hodiē sine
dubio beātus es ; ōlim tamen fortasse cūrae

34

gravissimae tē vexābunt.   Nēminem, adhūc vīvum,
beātum voco."

CROESUS ON THE PYRE.
Croesus is about to be burned to death.   He is pouring out his
last offering to Apollo.

XXXIV

Post paucos annos Cȳrus, Persārum princeps,
cōpias in Mēdōrum agros dūxit, et tōtam regiōnem

celeriter vīcit. Itaque et Mēdiae et Persiae, ingentis regni, rex erat. Croesus, ubi cīvēs Cȳri facta nuntiāvērunt, " Sī Cȳrus," inquit, " adhūc adolescens, tam celeriter Mēdos superāvit, sine dubio ego, rex maximus dīvitissimusque, Cȳrum superābo." Cōpias igitur cito collēgit et in fīnitimos agros dūxit. Sed nōn bene rem gessit. Nōn diū rēgis exercitus hostium impetum sustinēbat. Persae Croesi mīlitēs fugāvērunt. In Lȳdiam contendērunt et omnia loca ferro et ignī vastā-vērunt ; hominēs necāvērunt ; vīcos et frūmentum incendērunt. Rex perterritus rēgiam petīvit. Eō intrāvit Cȳrus. Cȳrus, vehementer īrātus, " Cūr, O Croese," rogāvit, " sine causā bellum in agros meos intulistī ? Tū igitur stultitiae tuae poenas gravissimas mihi dăbis. Servi mei rogum ingentem trabibus validis aedificābunt ; tē in rogum im-pōnent ; tum tē rogumque incendent."

XXXV

Māne igitur servi rogum ingentem parāvērunt et Croesum eō imposuērunt. Tum Croesus ubi calamitātem suam sensit, tristī vultū gemitum ab īmo pectore dedit, et, Solōnis verbōrum memor, " Nōn falsa," inquit, " Solōn, vir sapiens, dīxit. Ego mē omnium hominum beātissimum tot annos

putābam. Nunc autem nēmo per omnēs gentēs
miserior est. Superbiae stultitiaeque poenas do."
Cȳrus, ubi Croesi verba audīvit, et vultum tristem
animadvertit, misericordiae plēnus, " Et ego,"
inquit, " homo sum. Hodiē beātus sum, sed nōn
semper fortasse rēs bene geram. Et ego fortasse
veniam ā Dīs Immortālibus ōlim petam. Captīvum igitur vinculis flammisque līberābo." Sed
iam servi faces lūcidas ad trabēs porrexerant ;
iam flammae rogum paene cingēbant. Croesus
autem in summo perīculo manūs ad caelum Deōsque
Immortālēs porrexit. Apollo imbrem dē caelo
serēno mīsit, et aquam in rogum effūdit. Ita
Cȳrus captīvum līberāvit, et multos annos Croesum
cārum amīcum habēbat.

MŪSAE ET CICĀDAE

'Tis Apollo comes leading
His choir, the Nine.
—The leader is fairest,
But all are divine.

MATTHEW ARNOLD.

XXXVI

INTER montes Graecos vallis iacēbat variis flōribus
laeta et omnium rērum fēcundissima. Dē montibus
aquae frīgidae dēsiliēbant, et per campos virides
fluēbant. Multi greges, multa equōrum boumque
armenta in agris clīvisque errābant. Vallis montibus viridibus undique cingēbātur ; nulli viātōres
eō intrābant, nec hieme, ubi montes nive candidā
teguntur, nec vēre, ubi hirundo argūta nīdum sub
trabibus aedificat. Itaque incolae dē rēbus ex-
ternis nihil sciēbant, sed bene beātēque vīvēbant,
nec cūris sollicitis vexābantur.

Ad incolas in vallem ōlim dē caelo descendērunt
Mūsae. Novem sunt Mūsae, poētārum carmin-
umque deae. Ā Mūsis omnes hominum gentes,
sed in prīmis poētae, conservantur et docentur.

38

XXXVII

Mūsae, simul āc in vallem descendērunt, carmina mīra et dīvīna cecinērunt. Argūtae sunt Mūsārum vōces, nec per tōtum orbem terrārum dulcior est sonitus quam cantus Deārum ; nōn tam suāviter aves in summis arboribus canunt, ubi vēre āera cantibus mulcent.

Mīro sonitu dēlectāti sunt incolae. Diū Mūsae canēbant ; diū incolae, cēterārum rērum immemores, stupēbant ; nec ad cibum nec ad quiētem tempus capiēbant. Multos diēs, multas noctes Deae canēbant, et māne, ubi Aurōra croceum Tīthōni lectum relinquit, et sērō, ubi vesper stellas in caelum redūcit. Ita incolae cēnae prandiīque immemores, mīrum sonitum audiēbant. Itaque propter carminum dīvīnōrum amōrem indiēs languescēbant.

Tandem Mūsae incolas iam tenuissimos animadvertērunt, et misericordiae plēnae in cicādas virides convertērunt. Cicādae igitur, etiam nunc carminum dīvīnōrum memores, tōtum diem cantant.

RŌMULUS ET REMUS

To Romulus
" *From sunrise unto sunset*
All earth shall hear thy fame :
A glorious city thou shalt build,
And name it by thy name :
And there, unquenched through ages,
Like Vesta's sacred fire,
Shall live the spirit of thy nurse,
The spirit of thy sire."

MACAULAY.

XXXVIII

IN Foro Rōmāno ruīnae sunt templi Vestae rotundi,
nec procul Virginum Vestālium domus. Hae
virgines omnium Rōmānārum sacerrimae putā-
bantur, quod ignem sacrum in templo rotundo
cūrābant. Hunc ignem Aenēas, Rōmānōrum pater,
Trōiā dīligentissimē apportāverat. Omnium Virginum Vestālium nōtissima erat Rhēa Silvia,
Rōmuli Remīque māter. Haec nōn Rōmae sed
Albae Longae habitābat, nōndum enim Rōma
aedificāta erat. Aenēas, ubi ad Ītaliam vēnit,

40

paucos annos in hīs regiōnibus habitābat, et
tandem ā Dīs Immortālibus ad caelum vocātus
est. Deinde Ascanius, Aenēae fīlius, Albam Lon-
gam, urbem parvam, aedificāvit, et ibi multos
annos laetus regnābat. Post Ascanii mortem,
alii deinceps rēges regnābant. Ex hīs rēgibus
Numitor bene benignēque urbem regēbat, et bona
iūra cīvibus dăbat. Sed Numitōri frāter erat,
ferox crūdēlisque vir, Amūlius nōmine. Hic
comites cōpiāsque collēgit, et contrā frātrem
exercitum dūxit. Diū et ācriter pugnābant frātres,
sed Numitōris mīlites hostium impetum nōn
sustinēbant, et fugā salūtem petīvērunt. Itaque
Numitor ē regno ā frātre expulsus est.

XXXIX

Amūlius igitur urbem iam regēbat. Sed Albae
Longae puella erat, Rhēa Silvia nōmine, Numitōris
fīlia. Hanc puellam timēbat Amūlius, quod iusti
rēgis fīlia erat, et omnes cīves virginem amābant.
"Sī huic puellae," inquit, "fīlius erit, omnes
cīves nōn mē sed puerum iustum rēgem putābunt.
Nēmo igitur virginem in mātrimōnium dūcet, sed
ignem sacrum cum virginibus sacris per tōtam
vītam cūrābit." Mars autem rēgis verba audīvit
et rīsit. "Nōn ita," inquit, "rex scelerātus

fātum vītābit. Ego Rhēae Silviae marītus ero ;
mox puellae infantes erunt, fīlii mei ; ubi hī pueri
adolescentes erunt, tum vērō Amūlius fātum suum
sentiet." Nec falsa Deus praedīxit. Mox Rhēa
Silvia geminos, Martis fīlios, in gremio tenēbat.

THE WOLF OF THE CAPITOL.

XL

Amūlio, ubi in rēgiā sedēbat, cīves hanc rem
nuntiāvērunt. Tum vērō rex īrā et timōre vehe-

menter commōtus est. Itaque servis perterritis,
"Hanc fēminam," inquit, "ad Tiberis rīpas
dūcite et in undas iacite ; perfida mulier perfidiae
poenas dăbit. Geminos quoque ad flūminis rīpas
apportāte, sed pueros nōn ego necābo. Pueros
in rīpā relinquite ; lupis fortasse cibum praebē-
bunt." Servi igitur Rhēam Silviam ad flūmen
dūxērunt et in undas iēcērunt. Sed Tiberīnus
pater misericordiā et amōre commōtus est. "Mea
uxor," inquit, "haec puella erit ; semper inter
undas meas tūta et laeta mēcum habitābit."
Itaque Rhēa Silvia nōn necāta sed conservāta
est. Post multos annos ubi flūminis undae per
agros effundēbantur, et frūmentum vīneāsque
prosternēbant, tum Rōmāni, "Ecce !" inquiunt,
"etiam nunc īrātus est Tiberīnus pater, quod nōs
tam crūdēliter Rhēam Silviam, flūminis uxōrem,
ex urbe expulimus."

XLI

Gemini intereā prope flūminis rīpam ā servis
relicti erant. Mars autem fīliōrum nōn immemor
erat ; lupam ad geminos mīsit. Lupa, ubi pueros
vīdit, bonam benignamque sē praebuit ; nōn enim
pueros necāvit, sed in tūtum locum portāvit ;
deinde lac geminis, sīcut parvulis suis dăbat.
Posteā, ubi māiōres erant gemini, nec iam lupae

cūram dēsīderābant, pastōres petīvērunt, et inter
pastōres diū vītam rusticam agēbant. Ā pastōri-
bus Rōmulus Remusque vocāti sunt ; nihil autem
dē orīgine suā sciēbant.

XLII

Omnes hōs annos Mars fīlios suos dīligenter
conservābat, et tandem geminis, iam adolescentibus
omnia monstrāvit. Tum frātres, propter mātris
avīque iniūrias īrāti, " Sine dubio," inquiunt,
" Amūlius hārum rērum poenas gravissimas dăbit."
Pastōres igitur omnēsque agricolas ad arma
incitāvērunt, et cum exercitū rustico ad urbis
portas contendērunt. Rex quoque cōpias contrā
Rōmulum et Remum dūxit, sed rem nōn bene
gessit. Superātus et necātus est. Tum adolescentes avum suum petīvērunt, et in regnum
redūxērunt. Maximē gaudēbant oppidāni, quod
iterum Numitōrem, iustum rēgem, Albae Longae
vidēbant.

Posteā Rōmulus urbem sibi aedificāvit, et
Rōmam, dē suo nōmine, vocāvit. Rōmāni lupam,
quod Rōmulum tam dīligenter cūrāverat, semper
in summo honōre habēbant. Statuam lupae in
Capitōlio posuērunt.

Haec statua in Capitōlio diū stābat, sed tandem

fulmine dēiecta est.   Alia tamen posteā in Capitōlio posita est.   Hanc vōs quoque fortasse ōlim
vidēbitis.   Nec statuam sōlum sed lupam vīvam
vidēbitis, nam Rōmāni, urbis suae orīginis memores,
etiam nunc lupam vīvam in Capitōlio habent.

> *vīdimus flāvum Tiberim retortis*
> *lītore Etrusco violenter undis*
> *īre dēiectum monumenta rēgis*
>   *templaque Vestae ;*
> *Īliae dum sē nimium querenti*
> *iactat ultōrem.*

HORACE.

METTIUS CURTIUS

XLIII

Ōlim in Foro Rōmāno terra discessit, et hiātus
lātus altusque appāruit. Cīves omnes saxa plūrima
in hiātum dēiēcērunt ; hiātus autem nullo modo
explēbātur, sed indiēs crescēbat. Tum cīves
perterriti, "Sine dubio," inquiunt, "Dī Im-
mortāles summam calamitātem Rōmae prae-
dīcunt." Itaque Rōmāni ē Libris Sibyllīnis
ōrāculum petīvērunt. Ē Libris Sibyllīnis sacer-
dōtes responsum mīrum cīvibus nuntiāvērunt.
"Nunquam," inquiunt, "hiātus in Foro Rōmāno
explēbitur, nisi eō omnium rērum pretiōsissimam
Rōmāni dēiēcerint." Cīves igitur ad Forum aurum,
argentum, gemmas contulērunt, et in hiātum
dēiēcērunt. Nihilōmagis autem hiātus explētus
est. Tum Mettius Curtius, eques Rōmānus, "Ūna
rēs," exclāmāvit, "Rōmānis est omnibus aliis
pretiōsior. Nec aurum nec argentum, sed iuvenes
Rōmānos, arma Rōmāna, in summo honōre habē-

mus. Ego iuvenem Rōmānum, arma Rōmāna, Dīs
Mānibus dēdico." Tum armis splendidis ornātus,
equum incitāvit et in hiātum dēsiluit. Statim
hiātus explētus est, nec posteā iterum terra
discessit.

XLIV

NULLI per tōtum orbem terrārum cīves libentius quam Rōmāni sē patriae dedērunt.

Alteram fābulam vōbīs dē fortī Rōmāno narrābo.

Prīmo Bello Pūnico diū Rōmāni ā Poenis superābantur, quia paucas nāves, nec magnum nāvium ūsum habēbant. Sed tandem Rōmāni nāves optimas aedificāvērunt, et Poenos plūrimis proeliis superāvērunt. Itaque Rēgulum consulem ad Āfricam cum exercitū mīsērunt. Rēgulus exercitum in Āfricam terram exposuit. Prīmo rēs bene gessit ; agros ferro et ignī vastāvit, et magnā spē Carthāginem contendit. Intereā Poeni summis vīribus cōpias colligēbant, et multa mīlia peditum equitumque in Rōmānos dūxērunt. Ācriter pugnābant Rōmāni, sed nōn diū hostium impetum sustinēbant. Perturbāti et fugāti sunt. Pauci salūtem fugā petīvērunt, et ad oppidum amīcum cucurrērunt.   Māior pars exercitūs aut necāti aut capti sunt.

XLV

Inter captīvos Rēgulus ipse Carthāginem ductus est. Tum summo gaudio Poeni, "Nunc," inquiunt, "Rōmānos vīcimus ; Rōmāni igitur pācem dēsīderābunt et bonas condiciōnes ferent. Tē, Rēgule, Rōman iam mittēmus. Tū lēgāti modō in Senātum intrā—sī verbis tuis animos cīvium tuōrum ad pācem addūxeris, tu vinculis līberāberis, et līber in līberā urbe tuā habitābis. Sed sī Rōmāni nōn ad pācem amīcitiamque adducti erunt, sed malas condiciōnes ferent, et Poenos odio īrāque petent, tū nōn in urbe tuā manēbis, sed Carthāginem iterum veniēs, et vinculis mortīque crūdēlī tē trādēs." Rēgulus igitur Poenis fidem dedit, et ad patriam celerrime revertit. Sed ubi Senātum intrāvit, nōn ad pācem amīcitiamque cīves suos addūxit. "Nunc," inquit, "superāti sunt Rōmāni ; malas condiciōnes ferent Poeni. Vōs autem meliōres fortiōrēsque estis hostibus ; sī igitur bellum summis vīribus gerētis, et viros vōs praebēbitis, mox vōs victōres eritis et vestras condiciōnes hostibus ferētis. Ego Carthāginem nāvigābo nec fidem violābo. Vōs animos ad bellum firmāte et hostes sub pedibus prosternite.

Ego nec vincula nec mortem recūso, sed vestro
amōre mē dignum praebēbo." Deinde Rēgulus
fidem nōn violāvit, sed vultū serēno Rōmā
discessit et Carthāginem revertit. Ibi vinculis
mortīque sē trādidit.

> atqui sciēbat quae sibi barbarus
> tortor parāret ; non aliter tamen
> dīmōvit obstantes propinquos
>   et populum reditūs morantem,
> quam sī clientum longa negōtia
> dīiūdicātā līte relinqueret,
> tendens Venāfrānos in agros
>   aut Lacedaemonium Tarentum.

HORACE.

HECTOR ET ANDROMACHĒ

He spoke, and stretched his arms to take the child,
But back the child upon his nurse's breast
Shrank crying, frightened at his father's looks,
Fearing the brass and crest of horse's hair
Which waved above the helmet terribly.
Then out that father dear and mother laughed,
And glorious Hector took the helmet off,
And laid it gleaming on the ground, and kissed
His darling child, and danced him in his arm ;
And spoke in prayer to Zeus, and all the gods :
" Zeu, and ye other gods, oh grant that this
My child, like me, may grow the champion here
As good in strength, and rule with might in Troy.
That men may say, " The boy is better far
Than was his sire," when he returns from war,
Bearing a gory harness, having slain
A foeman, and his mother's heart rejoice."
Thus saying, on the hands of his dear wife
He laid the child ; and she received him back
In fragrant bosom, smiling through her tears.

CHARLES KINGSLEY.

XLVI

INTER Trōiānos quī tot annos urbem suam contrā
Graecos dēfendēbant, erat Hector, omnium rēgis

51

fīliōrum fortissimus, et Priamo patri cārissimus.
Hic ā cīvibus suis maximē amābātur et in summo
honōre habēbātur. Vehementer ā Graecis timē-
bātur, ubi ex urbis portis ad proelium ruēbat, aut
ignibus infestis hostium nāves vastābat. Cotīdiē

HECTOR AND ANDROMACHE.

Trōiāni ad arma ab Hectore incitābantur ; cotīdiē
cīvium animi ad fortia facta firmābantur. Saepe
cum Hectore ā proelio victōres revertērunt.
Andromachē, Hectoris uxor, cum viro fīliolōque
in rēgiā habitābat. Nulla ex omnibus Trōiānis
mulier magis virum suum amābat, aut viri amōre
dignior erat. Ōlim Hector, ad proelium ornātus,

ē viā in rēgiam vēnit. Andromachē vultū laeto
virum salūtāvit et ancillam vocāvit, quae fīliolum
in sinū tenēbat. Deinde Hector bracchia ad
puerum porrexit. Sed puer, ubi cristam rubram
vīdit, quae ex patris gàleā horrēbat, perterritus est,
nec ad patrem venīre audēbat, sed multis lacrimis
in ancillae sinū haerēbat. Tum vērō Hector, vir
maximus, fīliō rīsit, et galeam terribilem humī
dēposuit, et bracchia iterum ad fīlium porrexit.
Hic nōn iam perterritus est, sed rīsit, et patris collo
bracchia parvula dedit.

XLVII

Sed Andromachē sollicito animo virum hīs
verbis culpāvit : " O Hector," inquit, " tōtam
tuam vītam inter hostes et proelia agis ; multi
sunt hostes, quī tē odio īrāque petunt, multi
quōrum amīcos ad Inferos mīsisti. Ē Trōiānis
multi iam vulnerāti, multi necāti sunt. Nōn
semper tū ipse vulnera infesta vītābis. Tū igitur
hodiē intrā moenia manē, et tē tuamque urbem
conservā. Nōn enim sine tē Trōiāni urbem contrā
Graecos dēfendent." Cui Hector respondit, " Hī
omnes, quī nunc Trōiam dēfendunt, ad mē princi-
pem spectant. Propter meam virtūtem custōdes
in moenibus stant, mīlites ad proelia infesta animo

fortī excēdere audent. Sī ego proelia dētrectābo,
nec fortem mē praebēbo, nōn iam cīvium amōre
ero dignus. Trōiāni quoque omnes timidi erunt
et mox ab hoste vincentur. Deinde Trōia vastā-
bitur, et vōs ad terram aliēnam in servitūtem
dūcēminī. Nōn meum est proelia dētrectāre, sed
potius prō patriā cadere." Dīxit, et oscula fīlio
uxōrīque dedit. Parvulum ancillae trādidit, et
armis ornātus in viam excessit. Andromachē ex
īmo pectore gemitum dedit, et capite dēmisso
domum intrāvit ; nam cūris sollicitis vexābātur,
et omnium rērum maximē viri sui mortem timēbat.

> *Torquātus volo parvulus*
> *mātris ē gremio suae*
> *porrigens teneras manūs*
> *dulce rīdeat ad patrem.*
>
>   CATULLUS.

EQUUS TRŌIĀNUS

For well I know, at heart and in my thought,
The day will come when Ilios the holy
Shall lie in heaps, and Priam, and the folk
Of ashen-speared Priam, perish all.

CHARLES KINGSLEY.

XLVIII

Hōc modo Trōia tandem capta est. Graeci verbis falsis Trōiānos dēcēpērunt. " O Trōiāni," inquiunt, " in hāc terrā indiēs languescimus. Bello vulneribusque fessi patriam cāram līberōsque dulces dēsīderāmus. Nōn hīc in aliēnā terrā, sed domī inter amīcos vītam reliquam agere constituimus. Iam satis diū bella gessimus ; tempus est hinc, Deōrum Immortālium auxilio, discēdere. Prīmum autem Minervae nūmen dōno plācābimus. Tum illa nōs ventis secundis domum redūcet." Deinde Graeci magno labōre equum ingentem aedificāvērunt, cūius latera trabibus validis texērunt. Nocte obscūrā alii deinceps in cava ēius latera furtim ascendērunt, alii ad nāves properāvērunt et vēla candida ventis dedērunt. Māne dēcepti sunt Trōiāni. " Ecce ! " inquiunt, " dōnum illud quō Graeci Minervae nūmen plācāre constituērunt. Domum revertērunt hostes. Nōs

THE WOODEN HORSE.

intrā moenia monstrum illud dūcēmus ; tum nōs quoque Dea nūmine secundo servābit."

Cīves igitur monstrum infestum in urbem traxērunt. Iuvenum chorus per vias id duxērunt ; pueri puellaeque innuptae circum equum saltāre et canere gaudēbant et flōribus eum ornāre. " Nunc līberi," inquiunt, " in līberā urbe habitāmus ; nōn iam hostes nōs noctes diēsque vexant."

XLIX

Sed ubi nox umbris profundis terras tegēbat,
Graeci, quī in equo sunt cēlāti, ē cavis lateribus
furtim dēsiliēbant, et facem lūcidam comitibus
monstrāvērunt. Illī simul āc trans pontum facem
vīdērunt, nāves rursus ad ōram impulērunt. Nulli
per moenia custōdes, nulli in portis vigiles urbem
dēfendēbant. Per tōtam urbem cīves animos
fessos somno profundo laxābant. Flūminis modō
Graeci victōres in urbem miseram ruērunt. Omnia
ferro et ignī vastāta sunt. Templa domūsque
humī prostrāta, iuvenes necāti sunt ; mulieres ad
terram aliēnam in servitūtem ductae.

>   *fracti bello fātisque repulsi*
> *ductōres Danaūm, tot iam lābentibus annis,*
> *instar montis equum dīvīnā Palladis arte*
> *aedificant.*
>
>   *equo nē crēdite, Teucri.*
> *quidquid id est, timeo Danaos et dōna ferentes.*
>
>   VIRGIL.

ORPHEUS ET EURYDICE

Orpheus with his lute made trees
And the mountain tops that freeze
Bow themselves when he did sing :
To his music plants and flowers
Ever sprung ; as sun and showers
There had made a lasting spring.

SHAKESPEARE (?)

L

PER omnes gentes praeclārum est Orphei nōmen,
quī omnium poētārum sūavissimē canēbat. Et
vōce argūtā et lyrā canēbat, quō sonitū omnia per
terras animālia dēlectābantur. Ille lupos ursōsque
saevōsque leōnes dulcī cantū mulcēbat ; dulcissi-
mum erat eīs cantum dīvīnum audīre. Propter
carminum amōrem flūmina inter rīpas immōta
stābant, nec iam aquae frīgidae ad pontum fluēbant.
Aves, quae in summis arboribus nīdos aedificābant,
labōris immemores circum Orpheum volābant.
Omnia flōrum genera sub pedibus ēius flōrēbant.

Uxor erat eī Eurydicē nōmine, quam maximē

58

amābat.   Cum eā in prātis nitidis lūdere gaudēbat. Prope Thrāciae ōram poēta uxorque ēius bene beātēque vīvēbant.   Mox tamen Eurydicē, misera

ORPHEUS PLAYING THE LYRE.

Orpheus is wearing Thracian dress, which is more elaborate than Greek, but less so than Persian. The fawn is listening to the music.

puella, morbo tristī languescēbat, et ad Inferos adhūc iuvenis descendit.   Diū Orpheūs per tōtam ōram sōlus cum lyrā māne sērōque errābat, et āera cantibus tristibus implēbat ; nōn iam agris fēcundis, nōn iam laetis iuvenum choris gaudēbat.

LI

Orpheūs tandem ad Mānes descendere constituit,
et saevum Plūtōnis animum cantū dulcī mulcēre.
"Fortasse," inquit, "Plūtō Persephonēque rēgīna
vōce lyrāque meā mulcēbuntur, et veniam mihi
dabunt ; fortasse Eurydicēn ad virum ēius re-
mittent." Itaque ad Mānes, in regiōnem tenebrōsam descendit, unde nēmo ad lūcem caelumque
unquam ascenderat. Ibi circum poētam vol-
āvērunt tenues umbrae eōrum quī Superos re-
līquerant. Multae erant umbrae. Mātres senesque,
pueri puellaeque innuptae, quōs vulnera infesta
morbusque tristis ad Inferos mīserant, ad poētam
properāvērunt, et carmine mīro dēlectāti sunt.
Orpheūs per viam tenebrōsam ad rēgiam vēnit,
ubi Hādēs cum rēgīnā in lecto sedēbat ; tum vērō
vōce argūtā lyrāque cecinit, et ad genua rēgīnae
sē prostrāvit, et multis lacrimis veniam ōrāvit.
Illa lacrimis ēius cantūque commōta est, et,
"Ūnā condiciōne," inquit, "tibi uxōrīque tuae hōc
dōnum dabo. Tū ad Superos statim properā ;
illa post tē ad lūcem ascendet. Sī autem tū oculos
ad comitem retrō reverteris, iterum Eurydicē per
viam tenebrōsam descendet ; iterum circum
uxōrem tuam tenebrae fundentur."

LII

Iam Orphēūs magnā spē ad Superos ascendēbat ;
iam Eurydicē pōst virum ad lūcem properābat,
iam ad extrēmas tenebras veniēbat. Orphēūs,
verbōrum rēgīnae immemor, oculos retrō ad puellam
revertit. Tum vērō ex īmis Inferis fragor ingens
audītus est. Eurydicē, " O Orphēū," inquit,
" iterum fāta crūdēlia retrō mē vocant ; per artūs
oculōsque meos somnus profundus funditur. Valē,
cārissime vir ! iterum in noctem tenebrōsam
feror." Dixit, et iam tenuis umbra ē manibus viri
in tenebras fūgit.

> at cantū commōtae Erebi dē sēdibus īmis
> umbrae ībant tenues simulācraque lūce carentum,
> quam multa in foliīs avium sē mīlia condunt,
> vesper ubi aut hībernus agit dē montibus imber,
> mātres atque viri dēfunctaque corpora vītā
> magnanimum hērōum, pueri innuptaeque puellae,
> inpositīque rogis iuvenes ante ōra parentum.
>
> VIRGIL.

Haec et alia multa Iūlia ē benigno lūdi magistro
audiēbat. Posteā, iam adolescens, ad longinquas
terras nāvigāvit et ipsa rēs multas mīrāsque vīdit.
Vōs quoque fortasse ad Ītaliam Graeciamque ōlim
ipsī nāvigābitis, et illa loca oculis vestris vidēbitis,
ubi poētae habitābant, dē quibus haec omnia
narrāvērunt.

VOCABULARY OF NEW WORDS IN EACH SECTION

I

ad, *prep. gov. acc.*—to, towards.

agricola, -ae, *m.*—farmer.

albus, -a, -um—white.

ambulo, 1—I walk.

amo, 1—I love.

aqua, -ae, *f.*—water.

Britannia, -ae, *f.*—Britain.

Britannicus, -a, -um—British.

casa, -ae, *f.*—cottage.

culpo, 1—I blame.

cum, *prep. gov. abl.*—with.

do, 1, dedi, dătum—I give.

est—part of " sum."

et—and : et ... et—both ... and.

fīlia, -ae, *f.*—daughter.

habito, 1—I inhabit, live in.

Iūlia, -ae, *f.*—Julia.

laudo, 1—I praise.

multus, -a, -um—much, many.

nauta, -ae, *m.*—sailor

nōn—not.

ōra, -ae, *f.*—shore : ōra maritima —sea shore.

parvus, -a, -um—small, little.

patria, -ae, *f.*—fatherland, country.

porto, 1—I carry.

prope, *prep. gov. acc.*—near.

puella, -ae, *f.*—girl.

pulcher, -ra, -rum—beautiful.

quod—because.

quoque—also.

rosa, -ae, *f.*—rose.

ruber, -ra, -rum—red.

saepe—often.

salto, 1—I dance.

sed—but.

sunt—part of " sum."

II

altus, -a, -um—high, deep.

es—*part of* " sum."

extrēmus, -a, -um—extreme, uttermost.

frustrā—in vain.
galea, -ae, *f.*—helmet.
guberno, 1—I govern, steer.
hasta, -ae, *f.*—spear.
iacto, 1—I throw, toss.
in, *prep. gov. acc.*—into, onto.
in, *prep. gov. abl.*—in, on.
inquit—said he.
lacrima, -ae, *f.*—tear.
meus, -a, -um—my.
nāvicula, -ae, *f.*—boat.
nunc—now.
orno, 1—I adorn, equip.
pīrāta, -ae, *m.*—pirate.
porta, -ae, *f.*—door, gate.
prōra, -ae, *f.*—prow.
specto, 1—I look at, watch.
splendidus, -a, -um—splendid.
sto, 1, steti, stātum—I stand.
subitō—suddenly.
tum—then.
tunica, -ae, *f.*—tunic.
tuus, -a, -um—thy, your (*singular*).
vĕnit—(he) comes.

III

cēna, -ae, *f.*—supper.
exclāmo, 1—I exclaim.
inquiunt—said they.
īra, -ae, *f.*—anger.
iterum—again.
magnus, -a, -um—great.

mensa, -ae, *f.*—table.
nec—and not, nor.
noster, -ra, -rum—our.
nullus, -a, -um—no.
parātus, -a, -um—ready.
pecūnia, -ae, *f.*—money.
perterritus, -a, -um—frightened.
procul—far.
propero, 1—I hasten.
rapto, 1—I snatch, seize.
suus, -a, -um—his, etc. (*reflexive adjective*).
ubi—where, when.
voco, 1—I call.

IV

ager, -ri, *m.*—field, land.
angulus, -i, *m.*—corner.
annus, -i, *m.*—year.
bene—well.
benignus, -a, um—kind.
cotīdiē—every day.
dē, *prep. gov. abl.*—down from, concerning.
duodecim—twelve.
etiam—even, also.
fābula, -ae, *f.*—story.
grātus, -a, -um—pleasant, welcome.
iam—now, already : **nōn iam**—no longer.
igitur—therefore.
impavidus, -a, -um—fearless.
industrius, -a, -um—industrious.

itaque—and so.

iuvencus, -i, *m.*—bullock.

laetus, -a, -um—happy.

liber, -ri, *m.*—book.

littera, -ae, *f.*—letter.

longinquus, -a, -um—distant.

longus, -a, -um—long.

lūdus. -i, *m*—play, school.

magister, -ri, *m.*—teacher, master.

malus, -a, -um—bad.

narro, 1—I narrate, tell.

per, *prep. gov. acc.*—through, among.

piger, -ra, -rum—lazy.

prandium, -i, *n.*—lunch, dinner.

puer, -i, *m.*—boy.

-que—and.

recito, 1—I read aloud, recite.

sōlum—only.

tabula, -ae, *f.*—tablet.

terra, -ae, *f.*—earth, land.

via, -ae, *f.*—road, way, journey.

V

aedifico, 1—I build.

aro, 1—I plough.

Britannus, -i, *m.*—a Briton.

caelum, -i, *n.*—sky.

caeruleus, -a, -um—blue.

campus, -i, *m.*—plain.

clīvus, -i, *m.*—hill.

dēsīdero, 1—I miss, want.

equus, -i, *m.*—horse.

Ītalia, -ae, *f.*—Italy.

Ītalus, -i, *m.*—an Italian.

oculus, -i, *m.*—eye.

olīva, -ae, *f.*—olive.

oppidānus, -i, *m.*—a townsman.

oppidum, -i, *n.*—town.

placidus, -a, -um—calm.

plaustrum, -i, *n.*—waggon.

rectus, -a, -um—straight, right.

Rōmānus, -a, -um—Roman.

ūva, -ae, *f.*—grape.

validus, -a, -um—strong.

vīnea, -ae, *f.*—vineyard.

VI

āra, -ae, *f.*—altar.

canto, 1—I sing.

cicāda, -ae, *f.*—grasshopper.

croceus, -a, -um—yellow.

deus, -i, *m.*—god.

fēmina, -ae, *f.*—woman.

forum, -i, *n.*—forum, market-place.

inter, *prep. gov. acc.*—between, among.

iūcundus, -a, -um—pleasant.

lacerta, -ae, *f.*—lizard.

lātus, -a, -um—wide, broad.

macto, 1—I offer up, slay.

monumentum, -i, *n.*—monument.

nōn iam—no longer.

ōlim—one day, once upon a time.

palla, -ae, *f.*—cloak.

Rōma, -ae, *f.*—Rome.

Rōmānus, -i, *m.*—a Roman.

ruīna, -ae, *f.*—ruin.

templum, -i, *n.*—temple.

toga, -ae, *f.*—toga, the dress of the Roman men.

undique—on every side, from all sides.

victima, -ae, *f.*—victim.

vir, -i, *m.*—man, hero, husband.

VII

adōro, 1—I worship.

alius, -a, -ud—another.

capillus, -i, *m.*—hair.

cārus, -a, -um—dear.

Cerēs, Cereris, *f.*—Ceres, goddess of the corn.

cūro, 1—I take care of.

dea, -ae, *f.*—goddess.

dēlecto, 1—I delight.

erro, 1—I wander.

flāvus, -a, -um—yellow, yellow-haired.

frūmentum, -i, *n.*—corn.

herba, -ae, *f.*—grass.

herbōsus, -a, -um—grassy.

incito, 1—I urge on.

Inferī, -ōrum, *m. pl.*—The Lower World.

insula, -ae, *f.*—island.

līlium, -i, *n.*—lily.

locus, -i, *m.*—place : *pl.*—loca.

nam—for.

patruus, -i, *m.*—uncle.

Persephonē, -ēs, *f.*—Persephone, daughter of Ceres.

Plūto, -ōnis, *m.*—Pluto, king of the Underworld.

prātum, -i, *n.*—meadow.

Sicilia, -ae, *f.*—Sicily.

statim—at once.

ūnus, -a, -um—one.

vehementer—exceedingly, very much.

VIII

cibus, -i, *m.*—food.

īrātus, -a, -um—angry.

lūna, -ae, *f.*—moon.

miser, -era, -erum—unhappy.

monstro, 1—I shew.

neque—and not, nor.

nusquam—nowhere.

passus, -a, -um—spread out, dishevelled.

pōmum, -i, *n.*—fruit, apple.

purpureus, -a, -um—purple.

rogo, 1—I ask.

silva, -ae, *f.*—wood, forest.

stella, -ae, *f.*—star.

IX

adhūc—still, yet.

aeger, -ra, -rum—sick.

cūnae, -ārum, *f. pl.*—cradle.

diū—for a long time.

dīvīnus, -a, -um—divine.

dormīto, 1—I sleep.

ē, ex, *prep. gov. abl.*—out of, from.

ecce—behold.

gelidus, -a, -um—cold.

Graecus, -i, *m.*—a Greek.

gremium, -i, *n.*—lap.

habeo, 2—I have, hold.

iaceo, 2—I lie.

ibi—there.

ignōtus, -a, -um—unknown.

lacrimo, 1—I weep.

maestus, -a, -um—sad.

maneo, 2, mansi, mansum—I remain.

Metanīra, -ae, *f.*—Metanira, mother of Triptolemus.

mīrus, -a, -um—wonderful.

osculum, -i, *n.*—kiss.

plēnus, -a, -um—full.

post, *prep. gov. acc.*—after.

rusticus, -a, -um—rustic, belonging to the country.

saxum, -i, *n.*—rock, stone.

sedeo, 2, sēdi, sessum—I sit.

tamen—however.

tandem—at last.

teneo, 2, tenui, tentum—I hold.

tōtus, -a, -um—whole.

Triptolemus, -i, *m.*—Triptolemus, the inventor of agriculture.

valeo, 2, -ui—I am well.

vēnit—(he) came.

vīnum, -i, *n.*—wine.

X

animus, -i, *m.*—mind.

cēlo, 1—I conceal.

doceo, 2, docui, doctum—I teach.

flamma, -ae, *f.*—flame.

focus, -i, *m.*—hearth.

fulgeo, 2, fulsi—I shine.

furtim—secretly, stealthily.

laxo, 1—I relax, loosen.

pontus, -i, *m.*—sea.

profundus, -a, -um—deep.

scelerātus, -a, -um—wicked.

somnus, -i, *m.*—sleep.

stultus, -a, -um—foolish.

timeo, 2, -ui—I fear.

umbra, -ae, *f.*—shade, shadow.

verbum, -i, *n.*—word.

XI

apporto, 1—I bring, take.

celeriter—quickly.

convoco, 1—I call together.

deinde—then, next.

dictum, -i, *n.*—a saying.

dōnum, -i, *n.*—gift.

factum, -i, *n.*—deed.

familia, -ae, *f.*—household.

fleo, 2, flēvi, flētum—I weep.

flōreo, 2—I flourish, flower.

intereā—meanwhile.

Iuppiter, Iovis, *m.*—Jupiter, king of the gods.

lectus, -i, *m.*—bed, couch.

māne—in the morning.

memoria, -ae, *f.*—memory.

Mercurius, -i, *m.*—Mercury, messenger of the gods.

mox—soon.

ōrō, 1—I beg, ask for.

populus, -i, *m.*—people, natior..

propter, *prep. gov. acc.*—on account of.

rēgīna, -ae, *f.*—queen.

regnum, -i, *n.*—kingdom.

semper—always.

valē, *pl.* **valēte**—goodbye.

ventus, -i, *m.*—wind.

video, 2, **vīdi, vīsum**—I see.

XII

cēterī, -ae, -a—the rest.

ēvolo, 1—I fly out.

gaudium, -i, *n.*—joy.

libenter—willingly, gladly.

XIII

arma, -ōrum, *n. pl.*—arms.

bellum, -i, *n.*—war.

cīvis, -is, *c.*—citizen.

cīvitas, -ātis, *f.*—state.

clāmo, 1—I shout.

fīnitimus, -a, -um—neighbouring.

formōsus, -a, -um—beautiful.

gladius, -i, *m.*—sword.

invīto, 1—I invite.

Mars, Martis, *m.*—Mars, god of war.

māter, -ris, *f.*—mother.

medius, -a, -um—middle.

mīles, -itis, *c.*—soldier.

pax, pācis, *f.*—peace.

prīmus, -a, -um—first.

rex, rēgis, *m.*—king.

Rōmulus, -i, *m.*—Romulus, the founder of Rome.

Sabīnus, -i, *m.*—a Sabine. The Sabines were neighbours of the Romans.

Sabīnus, -a, -um—Sabine.

scūtum, -i, *n.*—shield.

soror, ōris, *f.*—sister.

urbs, urbis, *f.*—city.

uxor, -ōris, *f.*—wife.

virgo, -inis, *f.*—virgin.

vox, vōcis, *f.*—voice.

XIV

ante, *prep. gov. acc.*—before.

armātus, -a, -um—armed.

cito—quickly.

fortiter—bravely.

frāter, -ris, *m.*—brother.

hiems, -emis, *f.*—winter.

līberi, -ōrum, *m. pl.*—children.

neco, 1—I kill.

paro, 1—I prepare.

parvulus, -a, -um—little.

pater, -ris, *m.*—father.

prō, *prep. gov. abl.*—for, on behalf of.

pugno, 1—I fight.

vester, -ra, -rum—your (*plural*).

XV

corpus, -oris, *n.*—body.

dīligenter—carefully.

exerceo, 2—I exercise.

fessus, -a, -um—tired.

firmus, -a, -um—firm, strong.

forte—by chance.

fragor, -ōris, *m.*—crash.

fugo, 1—I put to flight.

fulmen, -inis, *n.*—lightning, thunder-bolt.

hīc—here.

imber, -ris, *m.*—rain, shower.

ita—so, thus.

iūs, iūris, *n.*—law, justice.

iuvenis, -is, *c.*—a young man or woman.

Martius, -a, -um—belonging to Mars : Campus Martius—a strip of land near the Tiber, where the Romans met.

nato, 1—I swim.

perterreo, 2—I frighten.

recreo, 1—I refresh.

regno, 1—I reign.

satis—enough.

serēnus, -a, -um—calm.

Tiberis, -is, *m.*—the Tiber.

unda, -ae, *f.*—wave.

XVI

ars, artis, *f.*—art.

autem—but.

caput, capitis, *n.*—head.

causa, -ae, *f.*—cause.

horreo, 2, -ui—I shudder, bristle.

iter, itineris, *n.*—journey.

Iūlius, -i, *m.*—Julius, a Roman.

nūmen, -inis, *n.*—a divine power.

Quirīnus, -i, *m.*—Quirinus, the name of Romulus after he was deified.

Quirītēs, -ium, *m. pl.*—Quirites, a name of the Roman People.

rotundus, -a, -um—round.

servo, 1—I save, keep.

sinistra, -ae, *f.*—left hand : ā sinistrā—on the left.

timor, -ōris, *m.*—fear.

XVII

amoenus, -a, -um—pleasant, lovely.

Apūlia, -ae, *f.*—Apulia, a district of Italy.

armentum, -i, *n.*—herd.

bōs, bovis, *c.*—ox.

crūdēliter—cruelly.

error, -ōris, *m.*—wandering.

fallo, 3, fefelli, falsum—I deceive, escape the notice of.

flōs, flōris, *m.*—flower.

fortasse—perhaps.

grex, gregis, *m.*—flock.

Horātius, -i, *m.*—Horatius, a brave Roman.

incolo, 3, -ui—I inhabit, dwell in.

lupus, -i, *m.*—wolf.

parens, -entis, *c.*—parent.

poēta, -ae, *m.*—poet.

praeclārus, -a, -um—splendid, famous.

quaero, 3, -sīvi, -sītum—I seek, look for.

regio, -ōnis, *f.*—region, district.

rūs, rūris, *n.*—country.

saevus, -a, -um—savage, cruel.

servus, -i, *m.*—slave.

sollicitus, -a, -um—anxious.

sōlus, -a, -um—alone, only.

ursus, -i, *m.*—bear.

vallis, -is, *f.*—valley.

vōs—you (*plural*).

XVIII

adolescens, -entis—young, just grown up.

arbor, -oris, *f.*—tree.

carmen, -inis, *n.*—song.

columba, -ae, *f.*—dove.

conservo, 1—I save, protect.

contendo, 3, -tendi, -tentum—I hasten.

folium, -i, *n.*—leaf.

infans, -fantis, *c.*—infant.

lego, 3, lēgi, lectum—I read.

Mūsae, -ārum, *f. pl.*—Muses, nine goddesses.

nōtus, -a, -um—well known, famous.

orbis, -is, *m.*—circle : **orbis terrārum**—the whole world.

passim—everywhere.

perīculum, -i, *n.*—danger.

quia—because.

scrībo, 3, scripsi, scriptum—I write.

tego, 3, texi, tectum—I cover.

vīta, -ae, *f.*—life.

volo, 1—I fly.

XIX

ā, ab, *prep. gov. abl.*—by, from.

ars, artis, *f.*—art.

Bacchus, -i, *m.*—Bacchus, the god of the vine.

dēfendo, 3, -fendī, -fensum—I defend.

fero, ferre, tuli, lātum—I bear, carry.

gens, gentis, *f.*—race.

homo, -inis, *c.*—a man, human being.

honor, -ōris, *m.*—honour.

in prīmis—especially.

nāvigo, 1—I sail.

pampinus, -i, *m.*—a vine leaf or tendril.

summus, -a, -um—highest, very great.

vītis, -is, *f.*—vine.

R.J.   F

XX

Aegaeus, -a, -um—Aegaean.

Āfrica, -ae, *f.*—Africa.

captīvus, -i, *m.*—captive.

excito, 1—I arouse.

ignāvus, -a, -um—cowardly, base.

impello, 3, -puli, -pulsum—I impel, drive.

impōno, 3, -posui, -positum—I put in or on.

incola, -ae, *c.*—inhabitant.

mare, -is, *n.*—sea.

nāvis, -is, *f.*—ship.

nōs—we.

praeda, -ae, *f.*—plunder.

prosterno, 3, -strāvi, -strātum—I prostrate, overthrow.

quondam—once upon a time.

sē—himself, etc. (*reflexive pronoun*).

sī—if.

sine, *prep. gov. abl.*—without.

tam—so.

trādo, 3, -idi, -itum—I hand over.

trans, *prep. gov. acc.*—across.

vērō—indeed.

XXI

ascendo, 3, -cendi, -censum—I climb.

candidus, -a, -um—white.

converto, 3, -verti, -versum—I turn, change.

curro, 3, cucurri, cursum—I run.

delphīn, -īnis, *m.*—dolphin.

ego—I.

impleo, 2, -plēvi, -plētum—I fill.

leo, leōnis, *m.*—lion.

lux, lūcis, *f.*—light.

misericordia, -ae, *f.*—pity.

Neptūnus, -i, *m.*—Neptune, god of the sea.

pendeo, 2, pependi, pensum—I hang.

rāmus, -i, *m.*—branch.

secundus, -a, -um—favourable.

terror, -ōris, *m.*—terror.

tigris, -is, *c.*—tiger.

vēlum, -i, *n.*—sail.

XXII

alter, -era, erum—the other.

amīcus, -i, *m.*—friend.

coruscus, -a, -um—flashing.

crista, -ae, *f.*—crest.

crūdēlis, -e—cruel.

deinceps—in turn.

dūco, 3, duxi, ductum—I lead.

eques, -itis, *c.*—horseman, knight.

Etrūria, -ae, *f.*—Etruria, a district of Italy.

Etruscus, -i, *m.*—an Etruscan, native of Etruria.

excīdo, 3, -cīdi, -cīsum—I cut down, destroy.

expello, 3, -puli, -pulsum—I drive out.

ferendus, -a, -um—bearable, to be borne.

ferox, ferōcis—fierce.

Horātius Cocles—Horatius Cocles, a brave Roman.

incendo, 3, -cendi, -censum—I burn.

iniūria, -ae, *f.*—injury, wrong.

mulier, -eris, *f.*—woman.

nuntius, -i, *m.*—messenger.

omnis, -e—all, every.

pedes, -itis, *c.*—foot soldier.

Porsenna, -ae, *m.*—Porsenna, king of Clusium in Etruria.

rego, 3, rexi, rectum—I rule.

sex—six.

Sextus, -i, *m.*—Sextus, a Roman name.

superbus, -a, -um—proud.

Tarquinius, -i, *m.*—Tarquin, the last king of Rome.

ultimus, -a, -um—last.

vīcus, -i, *m.*—village.

XXIII

consul, -ulis, *m.*—Consul, chief magistrate at Rome.

dextra, -ae, *f.*—right hand : ā dextrā—on the right.

firmo, 1—I strengthen.

hostis, -is, *c.*—enemy.

ignis, -is, *m.*—fire.

mātrona, -ae, *f.*—matron.

moenia, -ium, *n. pl.*—town walls.

odium, -i, *n.*—hatred.

pauci, -ae, -a—few.

proelium, -i, *n.*—battle.

sacer, -ra, -rum—sacred.

senex, senis, *c.*—an old person.

Vestālis, -e—Vestal, belonging to Vesta.

vigil, -ilis, *m.*—sentinel.

XXIV

angustus, -a, -um—narrow.

castra, -ōrum, *n. pl.*—camp.

contrā, *prep. gov. acc.*—against.

duo, -ae, -o—two.

excēdo, 3, -cessi, -cessum—I go out.

ferōciter—fiercely.

flūmen, -inis, *n.*—river.

fortis, -e—brave.

fossa, -ae, *f.*—ditch.

Herminius, -i, *m.*—Herminius, a brave Roman.

intro, 1—I enter.

Lartius, -i, *m.*—Lartius, a brave Roman.

mūrus, -i, *m.*—wall.

oppugno, 1—I attack.

paene—almost.

pars, partis, *f.*—part.

pōno, 3, posui, positum—I put, place.

pons, pontis, *m.*—bridge.

quis, quis, quid—who ? what ?

tū—thou, you (*singular*).

vallum, -i, *n.*—rampart.

vinco, 3, vīci, victum—I conquer.

XXV

ācriter—keenly.

cado, 3, cecidi, cāsum—I fall.

comes, -itis, c.—companion.

dētrecto, 1—I shirk, refuse.

dīrus, -a, -um—dreadful.

humus, -i, f.—ground : humī—on the ground.

mitto, 3, mīsi, missum—I send.

modō—after the manner of (abl. of modus).

princeps, -cipis, c.—chief, prince.

prōcēdo, 3, -cessi, -cessum—I advance, go forward.

trēs—three.

vulnero, 1—I wound.

XXVI

iacio, -ere, -iēci, iactum—I throw.

retrō—back, backward.

spūmōsus, -a, -um—foamy.

tūtus, -a, -um—safe.

vīs, pl., vīres, f.—force, strength : summīs vīribus—with all one's strength.

XXVII

dēsilio, 4, -silui, -sultum—I jump down.

dīco, 3, dixi, dictum—I say.

hodiē—to-day.

nōmen, -inis, n.—name.

onus, -eris, n.—burden.

rīpa, -ae, f.—bank.

Tiberīnus, -i, m.—the god of the river Tiber.

tuli—part of " fero."

vix—scarcely.

vulnus, -eris, n.—wound.

XXVIII

Agamemnōn, -onis, m.—Agamemnon, king of Argos.

Argīvus, -i, m.—Argive, native of Argos.

Atreūs, -i, m.—Atreus, father of Agamemnon and Menelaus.

Atrīdae, -ārum, m. pl.—sons of Atreus.

Graecia, -ae, f.—Greece.

Helenē, -ēs, f.—Helen of Troy, wife of Menelaus.

hospes, -itis, c.—guest, host.

hospitium, -i, n.—hospitality.

Iphigeneia, -ae, f.—Iphigeneia, daughter of Agamemnon.

Lacedaemonius, -i, m.—a Lacedaemonian, Spartan.

Menelāus, -i, m.—Menelaus, king of Sparta.

nitidus, -a, -um—shining.

nox, noctis, f.—night.

obscūrus, -a, -um—dark, dim.

Paris, -idis, m.—Paris, a prince of Troy.

perfīdus, -a, -um—treacherous.

pictus, -a, -um—painted, embroidered.

rēgia, -ae, f.—palace.

Trōia, -ae, *f.*—Troy, a town at the entrance to the Dardanelles.

Trōiānus, -i, *m.*—a Trojan.

venio, 4, vēni, ventum—I come.

vestīmentum, -i, *n.*—dress, garment.

XXIX

adsum—*like* **sum**—I am present.

adversus, -a, -um—adverse, hostile.

Apollo, -inis, *m.*—Apollo, god of the sun.

Asia, -ae, *f.*—Asia.

convenio, 4, -vēni, -ventum—I come together.

Delphicus, -a, -um—Delphic, belonging to Delphi.

Diāna, -ae, *f.*—Diana, goddess of hunting and the moon.

domus, -ūs, *f.*—house, home : **domī**—at home.

eō—thither.

exercitus, -ūs, *m.*—army.

genus, -eris, *n.*—sort, kind, race.

nisi—unless, except.

nunquam—never.

ōrāculum, -ī, *n.*—oracle.

perfidia, -ae, *f.*—treachery.

peto, 3, -īvi, -ītum—I seek.

plāco, 1—I appease.

poena, -ae, *f.*—penalty, punishment : **poenas do**—I pay the penalty.

portus, -ūs, *m.*—harbour.

redūco, 3, -duxi, -ductum—I lead back, bring back.

responsum, -i, *n.*—answer.

reporto, 1—I carry back, carry off.

retineo, 2, -tinui, -tentum—I hold back, restrain.

sanguis, -inis, *m.*—blood.

stultitia, -ae, *f.*—folly.

terribilis, -e—terrible.

tristis, -e—sad.

XXX

Achillēs, -is, *m.*—Achilles, a Greek hero, who fought at Troy.

audio, 4—I hear.

Clytaemnestra, -ae, *f.*—Clytaemnestra, wife of Agamemnon.

custōs, -ōdis, *c.*—guard, sentinel.

dubium, -i, *n.*—doubt.

fīdus, -a, -um—faithful.

gemma, -ae, *f.*—jewel.

immortālis, -e—immortal.

mātrimōnium, -i, *n.*—marriage.

nuptiae, -ārum, *f. pl.*—marriage.

pretiōsus, -a, -um—precious.

sēdecim—sixteen.

XXXI

artūs, -uum, *m. pl.*—limbs.

bracchium, -i, *n.*—arm.

chorus, -i, *m.*—band, group.

collum, -i, *n.*—neck.

cūr—why.

dēmissus, -a, -um—cast down.

descendo, 3, -scendi, scensum—I go down.

dulcis, -e—sweet.

ē vītā excēdo—I die, depart out of life.

fātum, -i, n.—fate.

fixus, -a, -um—fixed.

genu, -ūs, n.—knee.

Hādēs—Hades, the god of the dead. The realm of the dead.

ignāvia, -ae, f.—cowardice.

immōtus, -a, -um—motionless, immovable.

innupta, -ae—unwedded.

Mānēs, -ium, m. pl.—departed spirits, gods of the dead.

manus, ūs, f.—hand.

marītus, -i, m.—husband.

mors, mortis, f.—death.

nōbilis, -e—noble, famous.

nōnne—An adverb, shewing that the question expects the answer " yes."

praebeo, 2—I shew, furnish, offer.

prehendo, 3, -hendi, -hensum—I seize.

recūso, 1—I refuse.

rēs, reī, f.—thing, affair.

salūto, 1—I greet.

sentio, 4, sensi, sensum—I feel, realize.

simul—at the same time : simul āc—as soon as.

spēs, speī, f.—hope.

Superī, -ōrum, m. pl.—the people above, i.e. the living or the gods.

tremor, -ōris, m.—trembling, tremor.

venia, -ae, f.—favour, pardon.

vultus, -ūs, m.—face, expression.

XXXII

amor, -ōris, m.—love.

auxilium, -i, n.—help.

dēdo, 3, dēdidi, dēditum—I give up.

ferē—about, almost.

fundo, 3, fūdi, fūsum—I pour.

gemitus, -ūs, m.—groan.

ingens, -gentis—huge.

nēmo, -inis, c.—no one.

puto, 1—I think.

Sparta, -ae, f.—Sparta, a town in Greece.

XXXIII

argentum, -i, n.—silver.

aurum, -i, n.—gold.

beātus, -a, -um—happy, prosperous.

Croesus, -i, m.—Croesus, king of Lydia.

cūra, -ae, f.—care.

Cȳrus, -i, m.—Cyrus, king of Persia.

dīvitiae, -ārum, *f. pl.*—riches.

gravis, -e—heavy, grievous.

Lȳdia, -ae, *f.*—Lydia, a district of Asia Minor.

Persia, -ae, *f.*—Persia.

quam—than, how.

respondeo, 2, -di, -sum—I reply.

sapiens, -entis—wise.

Solōn, -ōnis, *m.*—Solon, an Athenian.

vexo, 1—I trouble, harass.

viātor, -ōris, *m.*—traveller.

vīvus, -a, -um—alive, living.

XXXIV

colligo, 3, -lēgi, -lectum—I collect.

cōpiae, -ārum, *f. pl.*—forces.

ferrum, -i, *n.*—iron, sword.

gero, 3, gessi, gestum—I carry on : rem or rēs bene gero—I succeed.

impetus, -ūs, *m.*—attack.

infero, -ferre, -tuli, -lātum—I bring into, inflict on.

maximus, -a, -um—greatest, very great.

Mēdia, -ae, *f.*—Media, a country to the South of the Caspian Sea.

Mēdi, -ōrum, *m. pl.*—Medes.

nuntio, 1—I announce.

Persae, -ārum, *m. pl.*—Persians.

rem bene gero—I succeed.

rogus, -i, *m.*—funeral pile.

supero, 1—I overcome.

sustineo, 2, -tinui, -tentum—I hold up, sustain.

trabs, trabis, *f.*—beam.

vasto, 1—I devastate, destroy.

XXXV

animadverto, 3, -verti, -versum —I notice.

calamitas, -ātis, *f.*—calamity.

cingo, 3, cinxi, cinctum—I surround.

effundo, 3, -fūdi, -fūsum, -I pour out.

falsus, -a, -um—false.

fax, facis, *f.*—torch.

īmus, -a, -um—lowest.

lībero, 1—I set free.

lūcidus, -a, -um—shining.

memor, -oris—mindful.

pectus, -oris, *n.*—breast.

porrigo, 3, porrexi, porrectum— I stretch out.

superbia, -ae, *f.*—pride.

tot—so many.

vinculum, -i, *n.*—chain, fetter.

XXXVI

argūtus, -a, -um—shrill, clear.

beātē—happily.

externus, -a, -um—outside, external.

fēcundus, -a, -um—fruitful.

fluo, 3, fluxi, fluxum—I flow.

frīgidus, -a, -um—cold.

hirundo, -inis, *f.*—swallow.

mons, montis, *m.*—mountain.

nīdus, -i, *m.*—nest.

nihil—nothing.

nix, nivis, *f.*—snow.

novem—nine.

scio, 4—I know.

varius, -a, -um—various, manifold.

vēr, vēris, *n.*—spring.

viridis, -e—green.

vīvo, 3, vixi, victum—I live.

XXXVII

āēr, āeris, *m.* (*acc.* : āera)—air.

Aurōra, -ae, *f.*—Aurora, goddess of the dawn.

avis, -is, *f.*—bird.

cano, 3, cecini, cantum—I sing.

cantus, -ūs, *m.*—song.

capio, capere, cēpi, captum—I take.

diēs, -ēi, *m.*—day : indiēs—from day to day.

immemor, -oris—unmindful, forgetful.

languesco, 3, -ui—I languish, faint.

mulceo, 2, mulsi, mulsum—I soothe.

quiēs, quiētis, *f.*—rest, quiet.

relinquo, 3, -līqui, -lictum—I leave.

sērō—late.

sonitus, -ūs, *m.*—sound.

stupeo, 2, -ui—I am amazed.

suāviter—sweetly.

tempus, -oris, *n.*—time.

tenuis, -e—thin.

Tīthōnus, -i, *m.*—Tithonus, husband of the dawn goddess.

vesper, -eris, *m.*—evening.

XXXVIII

Aenēas, -ae, *m.*—Aeneas, a Trojan prince, who founded the Roman race.

Alba Longa, -ae, *f.*—Alba Longa, a city in Latium.

Amūlius, -i, *m.*—Amulius, a king of Alba Longa.

Ascanius, -i, *m.*—Ascanius, the son of Aeneas.

benignē—kindly.

fuga, -ae, *f.*—flight.

hic, haec, hōc—this.

nōn dum—not yet.

Numitor, -ōris, *m.*—Numitor, a king of Alba Longa.

Remus, -i, *m.*—Remus, the brother of Romulus.

Rhēa Silvia, -ae, *f.*—Rhea Silvia, the mother of Romulus and Remus.

salūs, -ūtis, *f.*—safety, welfare.

Vesta, -ae, *f.*—Vesta, goddess of the hearth.

XXXIX

geminī, -ōrum, *m. pl.*—twins.

iustus, -a, -um—just, rightful.

praedīco, 3, -dixi, -dictum—I foretell.

rīdeo, 2, rīsi, rīsum—I smile, laugh.

vīto, 1—I avoid.

XL

commoveo, 2, -mōvi, -mōtum—I move.

XLI

ago, 3, ēgi, actum—I lead.

lac, lactis, n.—milk.

lupa, -ae, f.—she wolf.

māior, māius—greater.

orīgo, -inis, f.—origin.

pastor, -ōris, m.—shepherd.

sīcut—just as.

XLII

avus, -i, m.—grandfather.

Capitōlium, -i, n.—The Capitol, the principal hill in Rome.

dēiicio, -ere, -iēci, -iectum—I throw down.

gaudeo, 2, gāvīsus sum—I rejoice.

posteā—afterwards.

statua, -ae, f.—statue.

XLIII

appāreo, 2, -ui—I appear, become visible.

confero, -ferre, -tuli, -lātum—I bring together.

cresco, 3, crēvi, crētum—I grow.

dēdico, 1—I dedicate.

discēdo, 3, -cessi, -cessum—I go away, I part asunder.

expleo, 2, -plēvi, -plētum—I fill up.

hiātus, -ūs, m.—gap, hole.

Libri Sibyllīni—Sibylline books —books of prophecy possessed by the Romans.

modus, -i, m.—manner, method: modō—after the manner of.

nihilōmagis—none the more.

ornātus, -a, -um—adorned, equipped.

plūrimus, -a, -um—very many, most.

sacerdōs, -ōtis, c.—priest, priestess.

XLIV

amīcus, -a, -um—friendly.

Carthāgō, -inis, f.—Carthage.

expōno, 3, -posui, -positum—I put out.

libentius—more gladly.

mille, pl., mīlia—a thousand.

optimus, -a, -um—best, very good.

perturbo, 1—I confuse.

Poenus, -i, m.—a Carthaginian.

prīmō—at first.

Pūnicus, -a, -um—Punic, Phoenician, relating to the Carthaginians.

Rēgulus, -i, m.—Regulus, a Roman general.

ūsus, -ūs, m.—use, practice.

XLV

addūco, 3, -duxi, -ductum—I influence.

amīcitia, -ae, *f.*—friendship.

bellum gero—I carry on war.

condicio, -ōnis, *f.*—term, condition.

fīdēs, -eī, *f.*—faith, promise : **fidem violo—**I break my promise.

ipse, -a, -um—one's self.

lēgātus, -i, *m.*—ambassador.

līber, -era, -erum—free.

melior, -ius—better.

reverto, 3, -verti, -versum—I turn back. *In perfect,* return.

senātus, -ūs, *m.*—Senate, a governing body.

victor, -ōris—victorious.

violo, 1—I violate.

XLVI

ancilla, -ae, *f.*—handmaid.

Andromachē, -ae, *f.*—Andromache, wife of Hector.

audeo, 2, ausus sum—I dare.

dēpōno, 3, -posui, -positum—I put down.

dignus, -a, -um—worthy (*governs an abl.*).

fīliolus, -i, *m.*—little son.

haereo, 2, haesi, haesum—stick, cling.

Hector, -oris, *m.*—Hector, the bravest of the Trojans.

infestus, -a, -um—hostile, dangerous.

magis—more.

Priamus, -i, *m.*—Priam, king of Troy.

qui, quae, quod—who, which.

sinus, -ūs, *m.*—the fold of a dress, the bosom.

XLVII

aliēnus, -a, -um—foreign, belonging to some one else.

meum est—it is mine (*followed by an infinitive*).

potius—rather.

servitus, -ūtis, *f.*—slavery.

timidus, -a, -um—timid, cowardly.

virtus, -ūtis, *f.*—virtue, courage.

XLVIII

alii ... alii—some ... others.

cavus, -a, -um—hollow.

circum, *prep. gov. acc.*—round.

constituo, 3, -ui, -ūtum—I determine.

dēcipio, -ere, -cēpi, -ceptum—I deceive.

hinc—hence, from here.

ille, -a, -ud—he, she, it ; that.

intra, *prep. gov. acc.*—within.

is, ea, id—he, she, it ; that.

labor, -ōris, *m.*—labour.

latus, -eris, *n.*—side.

Minerva, -ae, *f.*—Minerva, goddess of war and handicraft.

monstrum, -i, *n.*—monster, portent.

prīmum—first.

reliquus, -a, -um—remaining.

traho, 3, traxi, tractum—I draw, drag.

XLIX

rursus—again.

L

animal, -is, *n.*—animal, living thing.

Eurydicē, -ēs, *f.*—Eurydice, wife of Orpheus.

lūdo, 3, lūsi, lūsum—I play.

lyra, -ae, *f.*—lyre.

morbus, -i, *m.*—disease.

Orpheūs, -i, *m., voc.,* Orpheū—Orpheus, a Thracian minstrel.

pēs, pedis, *m.*—foot.

suāvis, -e—sweet.

Thrācia, -ae, *f.*—Thrace, a country to the North of Greece.

LI

remitto, 3, -mīsi, -missum—I send back.

tenebrae,-ārum,*f. pl.*—darkness.

tenebrōsus, -a, -um—dark.

unde—whence.

unquam—ever.

LII

fugio, -ere, fūgi, fugitum—I flee.

VOCABULARY OF WORDS USED IN QUOTED PASSAGES

A

aliter—otherwise.

arx, arcis, *f.*—citadel.

at—but.

atque—and.

atqui—and yet.

B

barbarus, -a, -um—barbarous, foreign.

C

caedo, 3, cecīdi, caesum—I strike, kill.

careo, 2, -ui—I lack, am without (*governs an abl.*).

circumdo, 1, -dedi, -dătum—I surround.

cliens, -ntis, *c.*—client, dependant.

colo, 3, -ui, cultum—I cultivate, pursue.

condo, 3, -didi, -ditum—I hide.

crēdo, 3, -didi, -ditum—I believe, trust (*governs a dative*).

cum, *conj.*—when.

D

Danai, -ōrum, *m. pl.*—Greeks.

dēfunctus, -a, -um—having finished, fulfilled (*governs an abl.*).

dīiŭdico, 1—I judge, decide.

dīmoveo, 2, -mōvi, -mōtum—I move away.

ductor, -ōris, *m.*—leader.

dum—while.

E

Erebus, -i, *m.*—Erebus, the abode of the dead.

F

facio, -ere, fēci, factum—I make, do.

frango, 3, frēgi, fractum—I break.

H

hērōs, -ōis, *m.*—hero.

hībernus, -a, -um—wintry.

I

iacto, 1—I toss, boast.

ībant—*Imperfect of* "**eo**"—I go.

Ilia, -ae, *f.*—Ilia, *a name of Rhea Silvia.*

Iliacus, -a, -um—belonging to Ilium, or Troy.

instar—like (*governs a genitive*).

īre—*infinitive of* " eo "—I go.

L

lābens, -ntis—slipping, gliding.

līs, lītis, *f.*—strife, lawsuit.

lītus, -oris, *n.*—shore.

M

magnanimus, -a, -um—great hearted.

morans, -ntis—delaying.

N

nē—a negative particle.

negōtium, -i, *n.*—business.

nimium—too much.

O

obsto, 1, -stiti, -stitum—I hinder.

ōs, ōris, *n.*—mouth, face.

P

Pallas, -adis, *f.*—Pallas, whom the Romans called Minerva.

prius—before.

propinquus, -i, *m.*—relation.

Q

querens, -ntis—complaining.

quidquid—whatever.

R

reditus, -ūs, *m.*—return.

repello, 3, -puli, -pulsum—I drive back, repel.

retorqueo, 2, -si, -tum—I turn back.

S

scīlicet—to be sure, you must know.

sēdes, -is, *f.*—seat, dwelling.

septem—seven.

sīc—so, thus.

simulācrum, -i, *n.*—image, form.

T

Tarentum, -i, *n.*—Tarentum, a town in Southern Italy.

tendo, 3, tetendi, tentum—I make my way.

tener, -era, -erum—tender, young.

Teucri, -ōrum, *m. pl.*—Trojans.

tortor, -ōris, *m.*—torturer.

U

ultor, -ōris, *m.*—avenger.

V

Venāfrānus, -a, -um—belonging to Venafrum, a town in Central Italy.

vetus, -eris—old.

violenter—violently.

volo (*irregular*)—I wish.

GENERAL VOCABULARY

A

ā, ab, *prep. gov. abl.*—by, from :
ā **dextrā**—on the right : ā
sinistrā—on the left.

Achillēs, -is, *m.*—Achilles, a Greek
hero who fought at Troy.

ācriter—keenly.

ad, *prep. gov. acc.*—to, towards.

addŭco, 3, -duxi, -ductum—I
influence.

adhūc—still, yet.

adolescens, -entis—young, just
grown up.

adōro, 1—I worship.

adsum—*like sum*—I am present.

adversus, -a, -um—adverse,
hostile.

aedifico, 1—I build.

Aegaeus, -a, -um—Ægaean.

aeger, -ra, -rum—sick.

Aenēas, -ae, *m.*—Aeneas, a Trojan prince, who founded the
Roman race.

āēr, āeris, *m. acc.* **āera**—air.

Āfrica, -ae, *f.*—Africa.

Agamemnōn, -onis, *m.*—Agamemnon, king of Argos.

ager, -ri, *m.*—field, land.

ago, 3, ēgi, actum—I lead, drive.

agricola, -ae, *m.*—farmer.

Alba Longa, -ae, *f.*—Alba Longa,
a city in Latium.

albus, -a, -um—white.

aliēnus, -a, -um—foreign, belonging to someone else.

alius, -a, -ud—another : **alii ...
alii**—some ... others.

alter, -era, -erum—the other.

altus, -a, -um—high, deep.

ambulo, 1—I walk.

amīcitia, -ae, *f.*—friendship.

amīcus, -i, *m.*—friend.

amīcus, -a, -um—friendly.

amoenus, -a, -um—pleasant,
lovely.

amo, 1—I love.

amor, -ōris, *m.*—love.

Amūlius, -i, *m.*—Amulius, a king
of Alba Longa.

ancilla, -ae, *f.*—handmaid.

Andromachē, -ae, *f.*—Andromache, wife of Hector.

angulus, -i, *m.*—corner.

angustus, -a, -um—narrow.

animadverto, 3, -verti, -versum —I notice.

animal, -is, *n.*—animal, living thing.

animus, -i, *m.*—mind.

annus, -i, *m.*—year.

ante, *prep. gov. acc.*—before.

Apollō, inis, *m.*—Apollo, god of the sun.

appāreo, 2, -ui—I appear, become visible.

apporto, 1—I bring, take.

Apūlia, -ae, *f.*—Apulia, district of Italy.

aqua, -ae, *f.*—water.

āra, -ae, *f.*—altér. *altar*

arbor, -oris, *f.*—tree.

argentum, -i, *n.*—silver.

Argīvus, -i, *m.*—Argive, native of Argos.

argūtus, -a, am—shrill, clear.

arma, -ōrum, *n. pl.*—arms.

armātus, -a, -um—armed.

armentum, -i, *n.*—herd.

aro, 1—I plough.

ars, artis, *f.*—art.

artūs, -uum, *m. pl.*—limbs.

Ascanius, -i, *m.*—Ascanius, the son of Aeneas.

ascendo, 3, -cendi, -censum—I climb.

Asia, -ae, *f.*—Asia.

Atreūs, -i, *m.*—Atreus, father of Agamemnon and Menelaus.

Atrīdae, -ārum, *m. pl.*—sons of Atreus.

audeo, 2, ausus sum—I dare.

audio, 4—I hear.

Aurōra, -ae, *f.*—Aurora, goddess of the dawn.

aurum, -i, *n.*—gold.

aut—or : aut ... aut—either ... or.

autem—but.

auxilium, -i, *n.*—help.

avis, -is, *f.*—bird.

avus, -i, *m.*—grandfather.

B

Bacchus, -i, *m.*—Bacchus, the god of the vine.

beātē—happily.

beātus, -a, -um—happy, prosperous.

bellum, -i, *n.*—war.

bene—well.

benignē—kindly.

benignus, -a, -um—kind.

bonus, -a, -um—good.

bōs, bovis, *c.*—ox.

bracchium, -i, *n.*—arm.

Britannia, -ae, *f.*—Britain.

Britannicus, -a, -um—British.

Britannus, -i, *m.*—a Briton.

C

cădo, 3, cĕcĭdi, cāsum—I fall.

caelum, -i, n.—sky.

caerŭleus, -a, -um—blue.

călamitas, -ātis, f.—calamity.

campus, -i, m.—plain.

candĭdus, -a, -um—white.

căno, 3, cĕcini, cantum—I sing.

canto, 1—I sing.

cantus, -ūs, m.—song.

căpio, căpĕre, cēpi, captum—I take.

căpillus, -i, m.—hair.

Capitōlium, -i, n.—The Capitol, the principal hill in Rome.

captīvus, -i, m.—captive.

căpŭt, căpĭtis, n.—head.

carmen, -ĭnis, n.—song.

Carthāgō, -ĭnis, f.—Carthage.

cārus, -a, -um—dear.

căsa, -ae, f.—cottage.

castra, -ōrum, n. pl.—camp.

causa, -ae, f.—cause.

căvus, -a, -um—hollow.

cĕlĕrĭter—quickly.

cēlo, 1—I conceal.

cēna, -ae, f.—supper.

Cĕrēs, Cĕrĕris, f.—Ceres, goddess of the corn.

cētĕri, -ae, -a—the rest.

chŏrus, -i, m.—band, group.

cĭbus, -i, m.—food.

çĭcāda, -ae, f.—grasshopper.

cingo, 3, cinxi, cinctum—I surround.

circum, prep. gov. acc.—round.

cĭtŏ—quickly.

cīvis, -is, c.—citizen.

cīvĭtas, -ātis, f.—state.

clāmo, 1—I shout.

clīvus, -i, m.—hill.

Clytaemnestra, -ae, f.—Clytaemnestra, wife of Agamemnon.

colligo, 3, -lēgi, -lectum—I collect.

collum, i,- n.—neck.

columba, -ae, f.—dove.

comes, -itis, c.—companion.

commoveo, 2, -mōvi, -mōtum—I move.

condicio, -ōnis, f.—term, condition.

confero, -ferre, -tuli, -lātum—I bring together.

conservo, 1—I save, protect.

constituo, 3, -ŭi, -ūtum—I determine.

consul, -ulis, m.—Consul, chief magistrate at Rome.

contendō, 3, -tendi, -tentum—I hasten.

contrā, prep. gov. acc.—against.

convenio, 4, -vēni, -ventum—I come together.

converto, 3, -verti, -versum—I turn, change.

convoco, 1—I call together.

cōpiae, -ārum, f. pl.—forces.

corpus, -oris, *n.*—body.

coruscus, -a, -um—flashing.

cotīdiē—every day.

cresco, 3, crēvi, crētum—I grow.

crista, -ae, *f.*—crest.

croceus, -a, -um—yellow.

Croesus, -i, *m.*—Croesus, king of Lydia.

crūdēlis, -e—cruel.

crūdēliter—cruelly.

culpo, 1—I blame.

cum, *prep. gov. abl.*—with.

cūnae, -ārum, *f. pl.*—cradle.

cūr—why.

cūra, -ae, *f.*—care.

cūro, 1—I take care of.

curro, 3, cucurri, cursum—I run.

custōs, -ōdis, *c.*—guard, sentinel.

Cyrus, -i, *m.*—Cyrus, king of Persia.

D

dē, *prep. gov. abl.*—down from, concerning.

dea, -ae, *f.*—goddess.

dēcipio, -ere, -cēpi, -ceptum—I deceive.

dēdico, 1—I dedicate.

dēdo, 3, dēdidi, dēditum—I give up.

dēfendo, 3, -fendi, -fensum—I defend.

dēiicio, -ere, -iēci, -iectum—I throw down.

deinceps—in turn.

deinde—then, next.

dēlecto, 1—I delight.

Delphi, -ōrum, *m. pl.*—Delphi, a town in Greece where there was a famous shrine of Apollo.

Delphicus, -a, -um—Delphic, belonging to Delphi.

delphīn, -īnis, *m.*—dolphin.

dēmissus, -a, -um—cast down.

dēpōno, 3, -posui, -positum—I put down.

descendo, 3, -scendi, -scensum—I go down.

dēsīdero, 1—I miss, want.

dēsilio, 4, -silui, -sultum—I jump down.

dētrecto, 1—I shirk, refuse.

deus, -i, *m.*—god.

dextra, -ae, *f.*—right hand: ā dextrā—on the right.

Diāna, -ae, *f.*—Diana, goddess of hunting and the moon.

dīco, 3, dīxi, dictum—I say.

dictum, -i, *n.*—a saying.

diēs, -ēi, *m.*—day.

dignus, -a, -um—worthy (*governs an abl.*).

dīligenter—carefully.

dīrus, -a, -um—dreadful.

discēdo, 3, -cessi, -cessum—I go away, I part asunder.

diū—a long time.

dīves, -itis—rich.

dīvīnus, -a, -um—divine.

dīvitiae, -ārum, *f. pl.*—riches.

do, 1, dĕdi, dătum—I give.

doceo, 2, docui, doctum—I teach.

domus, -ūs, f.—home, house : dŏmī—at home.

dōnum, -i, n.—gift.

dormĭto, 1—I sleep.

dŭbium, -i, n.—doubt.

dūco, 3, dūxi, ductum—I lead.

dulcis, ĕ—sweet.

duo, -ae, -o—two.

duodecim—twelve.

E

ē, ex, prep. gov. abl —out of, from.

eccĕ—behold.

effundo, 3, -fūdi, -fūsum—I pour out.

ĕgŏ—I.

ĕnĭm—for.

eō—thither.

ĕquĕs, -ĭtis, c.—horseman, knight.

ĕquus, -i, m.—horse.

erro, 1—I wander.

error, -ōris, m.—wandering.

ĕs—part of " sum."

est—part of " sum."

ĕt—and, also ; et ... et—both ... and.

ĕtiam—even, also.

Etrūria, -ae, f.—Etruria, a district of Italy.

Etruscus, -i, m.—an Etruscan, native of Etruria.

Eurўdĭcē, -ēs, f.—Eurydice, wife of Orpheus.

ēvŏlo, 1—I fly out.

excēdo, 3, -cessi, -cessum—I go out.

excīdo, 3, -cīdi, -cīsum—I cut down, destroy.

excito, 1—I arouse.

exclāmo, 1—I exclaim.

exerceo, 2—I exercise.

exercĭtus, -ūs, m.—army.

expello, 3, -pŭli, pulsum—I drive out.

expleo, 2, -plēvi, -plētum—I fill up.

expōno, 3, -pŏsui, -pŏsitum—I put out.

externus, -a, -um—outside, external.

extrēmus, -a, -um—extreme, uttermost.

F

fābŭla, -ae, f.—story.

factum, -i, n.—deed.

fallo, 3, fĕfelli, falsum—I deceive, escape the notice of.

falsus, -a, -um—false.

fămĭlia, -ae, f.—household.

fātum, -i, n.—fate.

fax, facis, f.—torch.

fēcundus, -a, -um—fruitful.

fēmĭna, -ae, f.—woman.

fĕrē—about, almost.

fĕrendus, -a, -um—bearable, to be borne.

fěro, ferre, tŭli, lātum—I bear, carry, offer.
fěrōcĭter—fiercely.
fěrox, fěrōcis, fierce.
ferrum, -i, *n.*—iron, sword.
fessus, -a, -um—tired.
fĭdēs, -eī, *f.*—faith, promise : **fĭdem vĭŏlo**—I break my promise.
fīdus, -a, -um—faithful.
fīlia, -ae, *f.*—daughter.
fīliŏlus, -i, *m.*—little son.
fīlius, -i, *m.*—son.
fĭnĭtimus,-a,-um—neighbouring.
firmo, 1—I strengthen.
firmus, -a, -um—firm, strong.
fīxus, -a, -um—fixed.
flamma, -ae, *f.*—flame.
flāvus, -a, -um—yellow, yellow-haired.
fleo, 2, flēvi, flētum—I weep.
flōreo, 2—I flourish, flower.
flōs, flōris, *m.*—flower.
flūmen, -ĭnis, *n.*—river.
fluo, 3, fluxi, fluxum—I flow.
fŏcus, -i, *m.*—hearth.
fŏlium, -i, *n.*—leaf.
formōsus, -a, -um—beautiful.
fortassĕ—perhaps.
fortĕ—by chance.
fortĭs, -ĕ—brave.
fortĭter—bravely.
fŏrum, -i, *n.*—forum, market place.

fossa, -ae, *f.*—ditch.
frăgor, -ōris, *m.*—crash.
frāter, -ris, *m.*—brother.
frīgĭdus, -a, -um—cold.
frūmentum, -i, *n.*—corn.
frustrā—in vain.
fŭga, -ae, *f.*—flight.
fŭgio, -ĕrĕ, fūgi, fŭgĭtum—I flee.
fŭgo, 1—I put to flight.
fulgeo, 2, fulsi—I shine.
fulmen, -ĭnis, *n.*—lightning, thunder bolt.
fundo, 3, fūdi, fūsum—I pour.
furtim—secretly, stealthily.

G

galea, -ae, *f.*—helmet.
gaudeo, 2, gāvīsus sum—I rejoice.
gaudium, -i, *n.*—joy.
gelidus, -a, -um—cold.
gemini, -ōrum, *m. pl.*—twins.
gemitus, -ūs, *m.*—groan.
gemma, -ae, *f.*—jewel.
gens, gentis, *f.*—race.
genu, -ūs, *n.*—knee.
genus, -eris, *n.*—sort, kind, race.
gero, 3, gessi, gestum—I carry on : **rem** or **rēs bene gero**—I succeed.
gladius, -i, *m.*—sword.
Graecia, -ae, *f.*—Greece.
Graecus, -i, *m.*—a Greek.
Graecus, -a, -um—Greek.

grātus, -a, -um—pleasant, welcome.

gravis, -e—heavy, grievous.

graviter—heavily, severely.

gremium, -i, *n.*—lap.

grex, gregis, *m.*—flock.

guberno, 1—I govern, steer.

H

hăbeo, 2—I have, hold.

hăbĭto, 1—I inhabit, live in.

Hādēs—Hades, the god of the dead. The realm of the dead.

haereo, 2, haesi, haesum—I stick, cling.

hasta, -ae, *f.*—spear.

Hector, -ŏris, *m.*—Hector, the bravest of the Trojans.

Hělěnē, -ēs, *f.*—Helen of Troy, wife of Menelaus.

herba, -ae, *f.*—grass.

herbōsus, -a, -um—grassy.

Hermĭnius, -i, *m.*—Herminius, a brave Roman.

hiātus, -ūs, *m.*—gap, hole.

hīc—here.

hic, haec, hōc—this.

hiems, -ěmis, *f.*—winter.

hinc—hence, from here.

hĭrundo, -ĭnis, *f.*—swallow.

hŏdiē—to-day.

hŏmo, -ĭnis, *c.*—a man, a human being.

hŏnor, -ōris, *m.*—honour.

Hŏrātius, -i, *m.*—Horatius, a brave Roman.

Hŏrātius, -i, *m.*—Horace, a Roman poet.

horreo, 2, -ui—I shudder, bristle.

hospěs, -ĭtis, *c.*—guest, host.

hospĭtium, -i, *n.*—hospitality.

hostis, -is, *c.*—enemy.

hŭmus, -i, *f.*—ground : **hŭmī**—on the ground.

I

iăceo, 2—I lie.

iacio, iacere, iēci, iactum—I throw.

iacto, 1—I throw, toss.

iam—now, already : **nōn iam**—no longer.

ĭbi—there.

igĭtur—therefore.

ignāvia, -ae, *f.*—cowardice.

ignāvus, -a, -um—cowardly, base.

ignis, -is, *m.*—fire.

ignōtus, -a, -um—unknown.

illě, -a, -ŭd—he, she, it : that.

imber, -ris, *m.*—rain, shower.

imměmor, -ŏris—unmindful, forgetful.

immortālis, -ě—immortal.

immōtus, -a, -um—motionless, immovable.

impăvĭdus, -a, -um—fearless.

impello, 3, -puli, -pulsum—I impel, drive.

impĕtus, -ūs, *m.*—attack.

impleo, 2, -plēvi, -plētum—I fill.

impōno, 3, -pŏsui, -pŏsĭtum—I put in, or on.

īmus, -a, -um—lowest.

in, *prep. gov. acc.*—into, on to.

in, *prep. gov. abl.*—in, on.

incendo, 3, -cendi, -censum—I burn.

incĭto, 1—I urge on.

incŏla, -ae, *c.*—inhabitant.

incŏlo, 3, -ui—I inhabit, dwell in.

indiēs—from day to day.

industrius, -a, -um—industrious.

infans, -fantis, *c.*—infant.

Infĕri, -ōrum, *m. pl.*—The Lower World.

infero, -ferre, -tuli, -lātum—I bring into, inflict on.

infestus, -a, -um—hostile, dangerous.

ingens, -gentis—huge.

iniūria, -ae, *f.*—injury, wrong

innupta, -ae—unwedded.

inquĭt—said he.

inquiunt—said they.

insŭla, -ae, *f.*—island.

inter, *prep. gov. acc.*—between, among.

intĕreā—meanwhile.

intra, *prep. gov. acc.*—within.

intro, 1—I enter.

invīto, 1—I invite.

Iphĭgĕneia, -ae, *f.*—Iphigeneia, daughter of Agamemnon.

ipse, -a, -um—one's self.

īra, -ae, *f.*—anger.

īrātus, -a, -um—angry.

is, ea, ĭd—he, she, it : that.

ĭtă—so, thus.

Ĭtălia, -ae, *f.*—Italy.

Ĭtălus, -i, *m.*—an Italian.

Ĭtălĭcus, -a, -um—Italian.

ĭtăquĕ—and so.

ĭter, ĭtĭnĕris, *n.*—journey.

ĭtĕrum—again.

iūcundus, -a, -um—pleasant.

Iūlia, -ae, *f.*—Julia, a girl's name.

Iūlius, -i, *m.*—Julius, a Roman.

Iuppĭter, Iŏvis, *m.*—Jupiter, king of the gods.

iūs, iūris, *n.*—law, justice.

iustus, -a, -um—just, rightful.

iŭvencus, -i, *m.*—bullock.

iŭvĕnis, -is, *c,*—a young man or woman.

L

lăbor, -ōris, *m.*—labour.

lac, lactis, *n.*—milk.

Lăcĕdaemŏnius, -i, *m.*—a Lacedaemonian, Spartan.

lăcerta, -ae, *f.*—lizard.

lăcrĭma, -ae, *f.*—tear.

lăcrĭmo, 1—I weep.

laetus, -a, -um—happy.

languesco, 3, -ui—I languish, faint.

Lartius, -i, *m.*—Lartius, a brave Roman.

lătus, -ĕris, *n.*—side.

lātus, -a, -um—wide, broad.

laudo, 1—I praise.

laxo, 1—I relax, loosen.

lectus, -i, *m.*—bed, couch.

lēgātus, -i, *m.*—ambassador.

lēgo, 3, **lēgi, lectum**—I read.

leo, leōnis, *m.*—lion.

lībenter—willingly, gladly.

liber, -ri, *m.*—book : **Libri Sibyllini**—Sibylline books, books of prophecy possessed by the Romans.

līber, -era, -erum—free.

līberi, -ōrum, *m. pl.*—children.

lībero, 1—I set free.

lilium, -i, *n.*—lily.

littĕra, -ae, *f.*—letter.

lŏcus, -i, *m.*—place, *pl.*—lŏcă.

longinquus, -a, -um—distant.

longus, -a, -um—long.

lūcĭdus, -a, -um—shining.

lūdo, 3, **lūsi, lūsum**—I play.

lūdus, -i, *m.*—play, school.

lūna, -ae, *f.*—moon.

lupa, -ae, *f.*—she-wolf.

lŭpus, -i, *m.*—wolf.

lux, lūcis, *f.*—light.

Lўdia, -ae, *f.*—Lydia, a district of Asia Minor.

lўra, -ae, *f.*—lyre.

M

macto, 1—I offer up, slay.

maestus, -a, -um—sad.

măgĭs—more.

măgister, -ri, *m.*—teacher, master.

magnus, -a, -um—great.

mălus, -a, -um—bad.

mānĕ—in the morning.

măneo, 2, **mansi, mansum**—I remain.

Mānēs, -ium, *m. pl.*—departed spirits, gods of the dead.

mănus, -ūs, *f.*—hand.

măre, -is, *n.*—sea.

mărĭtĭmus, -a, -um—belonging to the sea.

mărītus, -i, *m.*—husband.

Mars, Martis, *m.*—Mars, god of war.

Martius, -a, -um—belonging to Mars : **Campus Martius**—a strip of land near the Tiber, where the Romans met.

māter, -ris, *f.*—mother.

mātrĭmōnium, -i, *n.*—marriage.

mātrōna, -ae, *f.*—matron.

maxĭmē—most, very much.

maximus, -a, -um—greatest, very great.

Mēdi, -ōrum, *m. pl.*—Medes.

Mēdia, -ae, *f.*—Media, a country to the South of the Caspian Sea.

mĕdius, -a, -um—middle.

mĕmŏr, -ŏris—mindful.

mĕmŏria, -ae, f.—memory.

Mĕnĕlāus, -i, m.—Menelaus, king of Sparta.

mensa, -ae, f.—table.

Mercŭrius, -i, m.—Mercury, messenger of the gods.

Metanīra, -ae, f.—Metanira, mother of Triptomenus.

Mettius Curtius, -i, m.—Mettius Curtius, a Roman knight.

mĕus, -a, -um—my: meum est —it is mine (followed by an infinitive).

mīlĕs, -ĭtis, c.—soldier.

mille, pl., mīlia—a thousand.

Mĭnerva, -ae, f.—Minerva, goddess of war and handicraft.

mīrus, -a, -um—wonderful.

mĭser, era, -erum—unhappy.

mĭsĕrĭcordia, -ae, f.—pity.

mitto, 3, mīsi, missum—I send.

mŏdŏ—only.

mŏdus, -i, m.—manner, method: mŏdŏ—after the manner of.

moenia, -ium, n. pl.—town walls.

mons, montis, m.—mountain.

monstro, 1—I shew.

monstrum, -i, n.—monster, portent.

mŏnŭmentum, -i, n.—monument.

morbus, -i, m.—disease.

mors, mortis, f.—death.

mox—soon.

mulceo, 2, mulsi, mulsum—I soothe.

mŭlier, -ĕris, f.—woman.

multus, -a, -um—much, many.

mūrus, -i, m.—wall.

Mūsae, -ārum, f. pl.—Muses, nine goddesses.

N

nam—for.

narro, 1—I narrate, tell.

năto, 1—I swim.

nauta, -ae, m.—sailor.

nāvĭcŭla, -ae, f.—boat.

nāvĭgo, 1—I sail.

nāvis, -is, f.—ship.

nĕ—a particle shewing that the sentence is a question.

nĕc, nĕquĕ—and not, nor.

nĕco, 1—I kill.

nēmŏ, -ĭnis, c.—no one.

Neptūnus, -i, m.—Neptune, god of the sea.

nīdus, -i, m.—nest.

nĭhĭl—nothing.

nĭhĭlōmagis—none the more.

nĭsĭ—unless, except.

nĭtĭdus, -a, -um—shining.

nix, nĭvis, f.—snow.

nōbĭlis, -e—noble, famous.

nōmen, -ĭnis, n.—name.

nōn—not.

nōndum—not yet.

nōnně—*An adverb shewing that the question expects the answer "yes."*

nōs—we.

noster, -ra, -rum—our.

nōtus, -a, -um—well known, famous.

novem—nine.

nox, noctis, *f.*—night.

nullus, -a, -um—no.

nūmen, -inis, *n.*—a divine power.

Numitor, ōris, *m.*—Numitor, a king of Alba Longa.

nunc—now.

nunquam—never.

nuntio, 1—I announce.

nuntius, -i, *m.*—messenger.

nuptiae, -ārum, *f. pl.*—marriage.

nusquam—nowhere.

O

obscūrus, -a, -um—dark, dim.

oculus, -i, *m.*—eye.

odium, -i, *n.*—hatred.

ōlim—one day, once upon a time.

olīva, -ae, *f.*—olive.

omnis, -e—all, every.

onus, -eris, *n.*—burden.

oppidānus, -i, *m.*—a townsman.

oppidum, -i, *n.*—town.

oppugno, 1—I attack.

optimus, -a, -um—very good, best.

ōra, -ae, *f.*—shore: **ōra maritima -ae,** *f.*—sea shore.

ōrāculum, -i, *n.*—oracle.

orbis, -is, *m.*—circle: **orbis terrārum**—the whole world.

orīgo, -inis, *f.*—origin.

ornātus, -a, -um—adorned, equipped.

orno, 1—I adorn, equip.

ōro, 1—I beg, ask for.

Orphēūs, -i, *m. voc.* **Orphēū**— Orpheus, a Thracian minstrel.

osculum, -i, *n.*—kiss.

P

paene—almost.

palla, -ae, *f.*—cloak.

pampinus, -i, *m.*—a vine leaf or tendril.

parātus, -a, -um—ready.

parens, -entis, *c.*—parent.

Paris, -idis, *m.*—Paris, a prince of Troy.

paro, 1—I prepare.

pars, partis, *f.*—part.

parvulus, -a, -um—little.

parvus, -a, -um—small, little.

passim—everywhere.

passus, -a, -um—spread out, dishevelled.

pastor, -ōris, *m.*—shepherd.

pater, -ris, *m.*—father.

patria, -ae, *f.*—fatherland, country.

patruus, -i, *m.*—uncle.

pauci, -ae, -a—few.

pax, pācis, f.—peace.

pectus, -oris, n.—breast.

pecūnia, -ae, f.—money.

pedes, -itis, c.—foot soldier.

pendeo, 2, pependi, pensum—I hang.

per, prep. gov. acc.—through, among.

perfidia, -ae, f.—treachery.

perfidus, -a, -um—treacherous.

perīculum, -i, n.—danger.

Persae, -ārum, m. pl.—Persians.

Persephonē, -ēs, f.—Persephone, daughter of Ceres.

Persia, -ae, f.—Persia.

perterreo, 2—I frighten.

perterritus, -a, -um—frightened.

perturbo, 1—I confuse.

pēs, pedis, m.—foot.

peto, 3, -īvi, -ītum—I seek.

pictus, -a, -um—painted, embroidered.

piger, -ra, -rum—lazy.

pīrāta, -ae, m.—pirate.

placidus, -a, -um—calm.

plāco, 1—I appease.

plaustrum, -i, n.—waggon.

plēnus, -a, -um—full.

plūrimus, -a, -um—very many, most.

Plūto, -ōnis, m.—Pluto, king of the Underworld.

poena, -ae, f.—penalty, punishment : poenas do—I pay the penalty.

Poenus, -i, m.—a Carthaginian.

poēta, -ae, m.—poet.

pōmum, -i, n.—fruit, apple.

pōno, 3, posui, positum—I put, place.

pons, pontis, m.—bridge.

pontus, -i, m.—sea.

populus, -i, m.—people, nation.

porrigo, 3, porrexi, porrectum—I stretch out.

Porsenna, -ae, m.—Porsenna, king of Clusium in Etruria.

porta, -ae, f.—door, gate.

porto, 1—I carry.

portus, -ūs, m.—harbour.

post, prep. gov. acc.—after.

posteā—afterwards.

potius—rather.

praebeo, 2—I shew, furnish, offer.

praeclārus, -a, -um—splendid, famous.

praedīco, 3, -dīxi, -dictum—I foretell.

praeda, -ae, f.—plunder.

prandium, -i, n.—lunch, dinner.

prātum, -i, n.—meadow.

prehendo, 3, -hendi, -hensum—I seize.

pretiōsus, -a, -um—precious.

Priamus, -i, m.—Priam, king of Troy.

prīmō—at first.

prīmum—first.

prīmus, -a, -um—first.

in prīmīs—especially.

princeps, -cipis, c.—chief, prince.

prō, *prep. gov. abl.*—for, on behalf of.

prōcēdo, 3, -cessi, -cessum—I advance, go forward.

prŏcŭl—far.

proelium, -i, n.—battle.

prŏfundus, -a, -um—deep.

prŏpē, *prep. gov. acc.*—near.

prŏpĕro, 1—I hasten.

propter, *prep. gov. acc.*—on account of.

prōra, -ae, f.—prow.

prosterno, 3, -strāvi, -strātum—I prostrate, overthrow.

puella, -ae, f.—girl.

puĕr, -i, m.—boy.

pugna, -ae, f.—battle.

pugno, 1—I fight.

pulcher, -ra, -rum—beautiful.

Pŭnĭcus, -a, -um—Punic, Phoenician, relating to the Carthaginians.

purpŭreus, -a, -um—purple.

pŭto, 1—I think.

Q

quaero, 3, -sīvi, -sītum—I seek, look for.

quam—than, how.

-quĕ—and.

quī, quae, quŏd—who, which.

quiă—because.

quiēs, quiētis, f.—rest, quiet.

Quirīnus, -i, m.—Quirinus, the name of Romulus after he was deified.

Quirītes, -ium, m. pl.—Quirites, a name of the Roman People.

quĭs, quis, quĭd—who ? what ?

quŏd—because.

quondam—once upon a time.

quoque—also.

R

rāmus, -i, m.—branch.

rapto, 1—I snatch, seize.

recito, 1—I read aloud, recite.

recreo, 1—I refresh.

rectus, -a, -um—straight, right.

recūso, 1—I refuse.

redūco, 3, -duxi, -ductum—I lead back, bring back.

rēgia, -ae, f.—palace.

rēgīna, -ae, f.—queen.

regio, -ōnis, f.—region, district.

regno, 1—I reign.

regnum, -i, n.—kingdom.

rego, 3, rexi, rectum—I rule.

Rēgulus, -i, m.—Regulus, a Roman general.

relinquo, 3, -līqui, -lictum—I leave.

reliquus, -a, -um—remaining.

remitto, 3, -mīsi, -missum—I send back.

Remus, -i, *m.*—Remus, the brother of Romulus.

reporto, 1—I carry back, carry off.

rēs, reī, *f.*—thing, affair.

respondeo, 2, -di, -sum—I reply.

responsum, -i, *n.*—answer.

retineo, 2, -tinui, -tentum—I hold back, restrain.

retrō—back, backward.

reverto, 3, -verti, -versum—I turn back. *In perfect*—return.

rex, rēgis, *m.*—king.

Rhēa Silvia, -ae, *f.*—Rhea Silvia, the mother of Romulus and Remus.

rīdeo, 2, rīsi, rīsum—I smile, laugh.

rīpa, -ae, *f.*—bank.

rogo, 1—I ask.

rogus, -i, *m.*—funeral-pile.

Rōma, -ae, *f.*—Rome.

Rōmānus, -i, *m.*—a Roman.

Rōmānus, -a, -um—Roman.

Rōmulus, -i, *m.*—Romulus, the founder of Rome.

rosa, -ae, *f.*—rose.

rotundus, -a, -um—round.

ruber, -ra, -rum—red.

ruīna, -ae, *f.*—ruin.

ruo, 3, rui, rutum—I rush.

rursus—again.

rūs, rūris, *n.*—country.

rusticus, -a, -um—rustic, belonging to the country.

S

Săbīnus, -i, *m.*—a Sabine. The Sabines were neighbours of the Romans.

Săbīnus, -a, -um—Sabine.

săcer, -ra, -rum—sacred.

săcerdōs, -ōtis, *c.*—priest, priestess.

saepĕ—often.

saevus, -a, -um—savage, cruel.

salto, 1—I dance.

sălūs, -ūtis, *f.*—safety, welfare.

sălūto, 1—I greet.

sanguĭs, -ĭnis, *m.*—blood.

săpiens, -entis—wise.

sătĭs—enough.

saxum, -i, *n.*—rock, stone.

scĕlĕrātus, -a, -um—wicked.

scio, 4—I know.

scrībo, 3, scripsi, scriptum—I write.

scūtum, -i, *n.*—shield.

sē—himself, etc. *Reflexive pronoun.*

sĕcundus, -a, -um—favourable.

sĕd—but.

sēdĕcim—sixteen.

sēdeo, 2, sēdi, sessum—I sit.

semper—always.

Sĕnātus, -ūs, *m.*—Senate, a governing body.

sĕnex, sĕnis, *c.*—an old person.

sentio, 4, sensi, sensum—I feel, realise.

sĕrēnus, -a, -um—calm.

sērō—late.

servĭtus, -ūtis, *f.*—slavery.

servo, 1—I save, keep.

servus, -i, *m.*—slave.

sex—six.

Sextus, -i, *m.*—Sextus, a Roman name.

sī—if.

Sĭcĭlia, -ae, *f.*—Sicily.

sīcut—just as.

silva, -ae, *f.*—wood, forest.

sĭmul—at the same time : simul āc—as soon as.

sĭnĕ, *prep. gov. abl.*—without.

sĭnistra, -ae, *f.*—left hand : ā sinistrā—on the left.

sĭnus, -ūs, *m.*—thefold of a dress, the bosom.

sollĭcĭtus, -a, -um—anxious.

Sŏlōn, -ōnis, *m.*—Solon, an Athenian.

sōlus, -a, -um—alone, only.

sōlum—only.

somnus, -i, *m.*—sleep.

sŏnĭtus, -ūs, *m.*—sound.

sŏror, -ōris, *f.*—sister.

Sparta, -ae, *f.*—Sparta, a town in Greece.

specto, 1—I look at, watch.

spēs, speī, *f.*—hope.

splendĭdus, -a, -um—splendid.

spūmōsus, -a, -um—foamy.

stătĭm—at once.

statua, -ae, *f.*—statue.

stella, -ae, *f.*—star.

sto, 1, stĕti, stătum—I stand.

stultĭtia, -ae, *f.*—folly.

stultus, -a, -um—foolish.

stupeo, 2, -ui—I am amazed.

suāvis, -ĕ—sweet.

suāviter—sweetly.

sŭbĭtō—suddenly.

summus, -a, -um—highest, very great.

sunt—*part of* " sum."

sŭperbia, -ae, *f.*—pride.

sŭperbus, -a, -um—proud.

Sŭpĕri, -ōrum, *m. pl.*—the people above, *i.e.* the living, or the gods.

sŭpĕro, 1—I overcome.

sustĭneo, 2, -tĭnui, -tentum—I hold up, sustain.

sŭus, -a, -um—his, etc. *Reflexive adjective.*

T

tabula, -ae, *f.*—tablet.

tam—so.

tamen—however.

tandem—at last.

Tarquinius, -i, *m.*—Tarquin. the last king of Rome.

tego, 3, texi, tectum—I cover.

templum, -i, *n.*—temple.

tempus, -oris, *n.*—time.

tenebrae, -ārum, *f. pl.*—darkness.

tenebrōsus, -a, -um—dark.

teneo, 2, tenui, tentum—I hold.

tenuis, -e—thin.

terra, -ae, *f.*—earth, land.

terribilis, e—terrible.

terror, -ōris, *m.*—terror.

Thrācia, -ae, *f.*—Thrace, a country to the North of Greece.

Thrācius, -a, -um—Thracian.

Tiberīnus, -i, *m.*—the god of the River Tiber.

Tiberis, -is, *m.*—the Tiber.

tigris, -is, *c.*—tiger.

timeo, 2, -ui—I fear.

timidus, -a, -um—timid, cowardly.

timor, -ōris, *m.*—fear.

Tīthōnus, -i, *m.*—Tithonus, husband of the dawn goddess.

toga, -ae, *f.*—toga, the dress of the Roman men.

tot—so many.

tōtus, -a, -um—whole.

trabs, trabis, *f.*—beam.

trādo, 3, -idi, -itum—I hand over.

traho, 3, traxi, tractum—I draw, drag.

trans, *prep. gov. acc.*—across.

tremor, -ōris, *m.*—trembling, tremor.

trēs—three.

Triptolemus, -i, *m.*—Triptolemus, the inventor of agriculture.

tristis, ĕ—sad.

Trōia, -ae, *f.*—Troy, a town at the entrance to the Dardanelles.

Trōiānus, -i, *m.*—a Trojan.

Trōiānus, -a, -um—Trojan.

tū—thou, you (*singular*).

tum—then.

tunica, -ae, *f.*—tunic.

tūtus, -a, -um—safe.

tŭus, -a, -um—thy, your (*singular*).

U

ŭbi—where, when.

ultĭmus, -a, -um—last.

umbra, -ae, *f.*—shade, shadow.

unda, -ae, *f.*—wave.

undĕ—whence.

undĭque—on every side, from all sides.

unquam—ever.

ūnus, -a, -um—one.

urbs, urbis, *f.*—city.

ursus, -i, *m.*—bear.

ūsus, -ūs, *m.*—use, practice.

ūva, -ae, *f.*—grape.

uxor, -ōris, *f.*—wife.

V

Vălē, *pl.*, Vălētĕ—goodbye.

văleo, 2, -ui—I am well.

vălĭdus, -a, -um—strong.

vallis, -is, f.—valley.

vallum, -i, n.—rampart.

vărius, -a, -um—various, manifold.

vasto, 1—I devastate, destroy.

vĕhĕmenter—exceedingly, very much.

vēlum, -i, n.—sail.

vĕnia, -ae, f.—favour, pardon.

vĕnio, 4, vēni, ventum—I come.

vĕnit—comes.

vēnit—came.

ventus, -i, m.—wind.

vēr, vēris, n.—spring.

verbum, -i, n.—word.

vērō—indeed.

vesper, -ĕris, m.—evening.

Vesta, -ae, f.—Vesta, goddess of the hearth.

vestālis, ĕ—Vestal, belonging to Vesta.

vester, -ra, -rum—your (plural).

vestīmentum, -i, n.—dress, garment.

vexo, 1—I trouble, harass.

via, -ae, f.—road, way, journey.

viātor, -ōris, m.—traveller.

victĭma, -ae, f.—victim.

victor, -ōris, m.—victor.

victor, -ōris—victorious.

vīcus, -i, m.—village.

video, 2, vīdi, vīsum—I see.

vigil, -ilis, m.—sentinel.

vinco, 3, vīci, victum—I conquer.

vinculum, -i, n.—chain, fetter.

vīnea, -ae, f.—vineyard.

vīnum, -i, n.—wine.

viŏlo, 1—I violate.

vir, -i, m.—man, hero, husband.

virgo, -ĭnis, f.—virgin.

virĭdis, ĕ—green.

virtus, -ūtis, f.—virtue, courage.

vīs, pl., vīres, f.—force, strength: summīs vīribus—with all one's might.

vīta, -ae, f.—life.

vītis, -is, f.—vine.

vīto, 1—I avoid.

vīvo, 3, vixi, victum—I live.

vīvus, -a, -um—alive, living.

vix—scarcely.

vŏco, 1—I call.

vŏlo, 1—I fly.

vōs—you (pl.).

vox, vōcis, f.—voice.

vulnĕro, 1—I wound.

vulnus, -ĕris, n.—wound.

vultus, -ūs, m.—face, expression.